D0269970

Héloïse Guay de Bellissen

Spinoza antistress

en 99 pilules philosophiques

Les Éditions de l'Opportun
16, rue Dupetit-Thouars
75003 Paris

Éditeur : Stéphane Chabenat
Marketing éditorial : Sylvie Pina
Suivi éditorial : Clotilde Alaguillaume
Mise en page : Emmanuelle Noël
Maquette couverture : Philippe Marchand

www.editionsopportun.com

ISBN : 978-2-36075- 143-3

Imprimé en Europe - Dépôt légal : à parution

INTRODUCTION

Deleuze disait de Spinoza qu'il était un des philosophes « les plus voyants qui soit ». Penseur du bonheur, de la résistance à la servitude sociale, à la recherche du soi jusqu'à la béatitude.

Et pourtant, il était considéré à son époque comme un critique dangereux de la morale et de la religion. À sa mort, ses œuvres furent interdites et considérées comme « profanes, athées et blasphématoires ». Comment, dès lors, ne pas le trouver fascinant ?

Si vous avez ce livre entre les mains, c'est que vous aimez les doux blasphèmes, ceux que les gens bien-pensants n'aiment pas entendre, mais que comprennent seulement ceux qui pensent bien. Aussi, vous êtes voyant, sans doute un voyant qui s'ignore encore et qui va s'ouvrir vers une liberté d'être et d'aimer.

Savoir vivre sa vie telle qu'elle est au lieu d'imaginer comment il faudrait qu'elle soit ou comment la société voudrait que vous, nous soyons. La voir en face, cette vie-là, la nôtre, celle que l'on joue chaque jour, et être libre, voilà ce que Spinoza a vu et a voulu nous transmettre.

Enlever l'illusion (les préjugés, les schémas préconçus), le masque que nous portons, et savoir libérer la force d'exister. Accéder à la joie, la béatitude, l'amour, la liberté et n'avoir qu'à se soumettre à nous-mêmes, en écoutant les secrets qu'à découverts, il y a déjà quatre siècles, ce grand philosophe.

Ce livre est pour les derniers de la classe et les premiers (on les oublie toujours), ceux qui se sentent coincés dans un costume qui n'est pas le leur, ceux qui savent qui ils sont, mais veulent savoir pourquoi ils le sont, ceux, tout simplement, qui veulent comprendre ce que veut dire exister au lieu de vivre, et pourquoi pas, soyons fous car les philosophes le sont, être heureux.

99 PILULES
PHILOSOPHIQUES

1

Je me décidai en fin de compte à rechercher s'il n'existait pas un bien véritable et qui pût se communiquer, quelque chose enfin dont la découverte et l'acquisition me procureraient pour l'éternité la jouissance d'une joie suprême et incessante.

Et rassurez-vous, il existe ! Le bien véritable qui peut se partager. On peut dire que nous avons, vous avez, de la chance de pénétrer la pensée de ce grand philosophe, car il va vous apprendre bien plus que ce que vous venez de lire. Apprendre à vous écouter, à chercher en vous le désir d'aimer la vie et par là même la vôtre. Car c'est bien de cela qu'il s'agit, s'aimer pour aimer. Pour ce faire, il va vous falloir vous armer de patience, pendant que vous enlèverez votre armure. Arracher le masque que nous portons tous dans n'importe quelle société ou culture, et qu'il n'est pas facile de vouloir ôter.

Comment sommes-nous sans lui ? Pouvons-nous oui ou non être libres en le portant ? Allons, allons, pas trop de questions à la fois ! Sans lui, allez-vous être, vous sentir ? Comment seriez-vous ? Mieux, puisque vous vous serez trouvé. N'attendez plus : Spinoza, avec cette pensée qui ouvre le livre, vous montre sa bienveillance, sa recherche de la contemplation de l'existence jusqu'au sentiment d'amour pur. Bienvenue, dans vos propres pages…

2

Qui est conduit par la crainte et fait le bien pour éviter le mal n'est pas conduit par la raison.

« Rien de grand dans le monde ne s'est accompli sans passion », disait Hegel. Oui, mais quand nous ne sommes motivés que par elle, nous n'en sommes que plus « petits ». Car la passion[1] détruit notre faculté de penser et par là notre compréhension des choses. Quand notre raison est mise à mal, nous agissons par rapport à nos peurs. Peur de l'abandon, de perdre, de ne pas être à la hauteur. Voilà pourquoi nous n'arrivons pas à agir vraiment, dans notre vérité, car nos craintes et nos doutes brouillent les pistes de notre raisonnement.

Vouloir éviter de faire le bien ou le mal n'a que peu d'importance, il faut seulement réussir à trouver en soi la force d'enlever ces vieilles peurs poussiéreuses qui, parfois, ne nous appartiennent pas, et qui nous empêchent d'être nous-mêmes, pour « agir au mieux ». Facile dans les mots, me direz-vous, mais dans la vie ? Il vous suffit de répondre à ses trois questions : Que veux-je faire ? Que puis-je faire ? Que dois-je faire ?

Ça marche pour tout, vous verrez.

1. Au sens classique, la passion désigne tous les phénomènes dans lesquels la volonté est passive.

Le chat n'est pas tenu de vivre selon les lois du lion.

Heureusement ! Sinon, nous aurions tous des dépouilles d'antilopes sur nos canapés ou des rugissements féroces provenant de notre chambre !

Plus sérieusement, ce qu'entend par là Spinoza, c'est que notre vie nous appartient et que personne n'est obligé d'imiter les autres pour exister. Il est vrai que le chat et le lion font partie de la même famille, mais leur ressemblance s'arrête aussi net. On ne verra jamais un lion frétiller en entendant l'ouverture d'une boîte, encore moins un chat arracher la jugulaire d'une gazelle. Tout ceci est plutôt réconfortant, car nous pouvons en déduire que, avant d'être l' « enfant de » – la « fille de », le « fils de », le « descendant d'untel » –, nous sommes nous-mêmes. Le vieil adage populaire : « Les chats ne font pas des chiens » devient caduc ! Oui, nous pouvons être ce que nous voulons, sans entrave, sans être le reflet ni de nos parents ni de ce qu'attend de nous la société.

Réussir à devenir soi, sans l'aide de quiconque, sans se rattacher à ses racines, juste « être ».

4

On ne désire pas les choses parce qu'elles sont belles, mais c'est parce qu'on les désire qu'elles le sont.

Et pourtant, c'est tout le contraire que la société veut nous faire croire. Elle nous pousse à aimer des canons de beauté inatteignable, et des objets que nous ne posséderons jamais. Elle joue sur notre désir du manque et nous influence sur ce qui est beau.

*

Le désir pour Spinoza est l'essence de la vie. Tout notre être tend vers lui. Nous voulons de la vie ce que nous trouvons désirable. Le désir est l'essence de l'homme, mais chacun de nous le vit intimement. C'est notre propre désir qui donne de la valeur aux choses et non l'inverse. Le désir est ici une puissance créatrice puisque nous pouvons créer la beauté en nous-mêmes et en posant notre regard sur une chose. Ce désir-là, le vôtre, celui qui vous fait éprouver qui vous êtes, et vous rend heureux. Rien à voir alors avec les pubs et autres parasites qui polluent notre esprit. Le désir n'est pas manque ou possession, mais le désir est source d'épanouissement et de bonheur. Risquez-vous à aimer ce que vous désirez vraiment et lorsque vous regarderez quelque chose qui vous semble être beau, posez-vous cette question : jusqu'où irais-je pour cette chose ou cette personne ? Si la réponse est jusqu'au bonheur, foncez.

La peur ne peut se passer de l'espoir et l'espoir de la peur.

« La peur n'empêche pas le danger », dit le dicton populaire. Nous sommes tous confrontés à nos peurs et, à force de les faire vivre en nous, elles deviennent une forme d'espoir. Espérer ne pas avoir peur ou mal ne nous fait pas avancer, mais nous fait perdre du temps. Et notre temps est compté qu'on le veuille ou non. Le fait de ne pas être immortels ne nous laisse que peu de choix : vouloir être heureux en enlevant nos chaînes où rester dans la peur et ne rien tenter d'autre ou trop peu.

Heureusement, il n'y a pas de vie ratée, il y a seulement la vôtre, et c'est la bonne. Sachez la comprendre au bon moment, car si la vie peut vous envoyer des messages qui vous effrayent, c'est qu'elle peut vous envoyer les bons. Pour Paulo Coelho, « la seule chose qui puisse empêcher un rêve d'aboutir, c'est la peur d'échouer ». Trouvez ou retrouvez quel rêve vous habite. Si vous n'y arrivez pas, remontez en vous et réactivez votre premier souhait. Un sachet de billes, un château de sable, parce que les rêves de notre enfance sont toujours réalisables. Faites pareil maintenant, trouvez un rêve fou mais que vous pouvez atteindre, c'est le même procédé.

6

La paix n'est pas l'absence de guerre, c'est une vertu, un état d'esprit.

Il ne sert à rien de se faire violence parce qu' « il faut être heureux ». La société occidentale nous pousse vers la mode du « bien-être », du manger équilibré ; il faut « se sentir soi-même » et ressembler à un canon de beauté. À quoi bon ? On ne doit pas être absolument parfait et vouloir le bien-être tel qu'on nous le vend dans les publicités et les journaux. La paix est une réconciliation après une bataille, donc la guerre que nous menons en nous-mêmes fait partie du jeu. La paix n'existerait pas sans la guerre. Il ne faut pas vouloir l'éviter à tout prix, il faut l'accepter pour passer à autre chose. Le chaos est inhérent à la vie tout comme la quiétude.

L'équilibre est fragile et pour le renforcer il faut tendre vers la paix, la vôtre. Et si votre paix est d'être en guerre, pour un moment, qu'importe si c'est ce que vous ressentez comme le dit Spinoza : « La vertu n'est rien d'autre qu'agir selon les lois de sa propre nature, et que personne ne s'efforce de conserver son être si ce n'est selon les lois de sa propre nature. »

Le désir qui naît de la joie est plus fort que le désir qui naît de la tristesse.

Comprenons de cette phrase que rien n'est jamais perdu, car le désir peut naître même de la tristesse. On pense toujours qu'il provient de la joie ou du bonheur. Mais le désir est la nature même de l'homme et la joie, un sentiment. Et de tous les sentiments peuvent naître le pire comme le meilleur.

Comme le disait Jacques Brel dans *Ne me quitte pas* : « On a vu souvent/ rejaillir le feu/ de l'ancien volcan/ qu'on croyait trop vieux. » Ne jamais sous-estimer le désir qui peut naître là où on ne l'attend pas, c'est d'ailleurs à cet endroit qu'on arrive le mieux à le voir puisque qu'il est comme un point lumineux dans le noir. On voit plus aisément la plante qui arrive à pousser dans un bloc de béton, que celle qui est dans un champ. Quant au désir qui naît du bonheur, nous savons toujours d'où il part, il part de la joie et donc de l'amour, comme encore le chantait Brel :

« Alors sans avoir rien
Que la force d'aimer
Nous aurons dans nos mains
Amis le monde entier. »

On ne sait pas ce que peut le corps.

Personne ne peut savoir ce dont notre corps est capable et c'est dans un sens quelque chose de formidable. Formidable, car cette ignorance ouvre une porte : et si nous pouvions tout faire et tout lui faire vivre ?

Notre corps, nous ne le prenons en compte que lorsqu'il souffre ; avant cela, nous n'y faisons pas attention. Un rhume, un mal de ventre et on sent ce qu'il y a à l'intérieur. C'est dans la souffrance que nous identifions le corps, sans la douleur, il n'est qu'une machine.

Pensez votre corps : allongez-vous et fermez les yeux. Essayez de sentir vos pieds, vos jambes, votre ventre, vos bras, votre visage. Le corps est notre allié et nous pouvons lui faire du bien autant que nous pouvons lui faire du mal. C'est parce que nous pensons par le corps qu'il peut agir. Bien sûr, le yoga, la méditation, le sport sont des bons moyens de rencontrer notre corps, mais ce serait « en-corps » donner des conseils que tout le monde peut prodiguer. Spinoza nous dit à travers cette phrase : en ne sachant pas ce que peut le corps, nous pouvons tout croire de lui et de sa capacité à s'épanouir.

Vous pouvez vous servir de sa phrase et la continuer chaque jour en ajoutant une suite, par exemple :

« Je ne sais pas ce que peut mon corps, mais je sais que mon cœur bat. »

Si vous faites cet exercice assez souvent, vous aurez parcouru tout votre corps, de l'extérieur à l'intérieur, et vous saurez de quoi il est capable en le connaissant par (le) cœur.

Le comble de l'horreur ou de l'abjection est le comble de l'ignorance de soi.

Ne pas se connaître est sans doute la chose la plus nocive que nous pouvons nous faire. Car être son propre inconnu ne peut faire de nous que des individus perdus au milieu de la masse. C'est parce que nous ne nous connaissons pas que les publicités et les médias peuvent nous faire penser à notre insu. Alors, d'accord, partons de ce principe que nous sommes l'inconnu de nous-mêmes. Où chercher à savoir qui nous sommes vraiment ? Par peur, nous allons nous voir tels que nous sommes dans le regard des autres. C'est le plus simple, finalement. Les autres savent-ils mieux que nous ? Bien sûr que non, il faut partir de soi-même pour se comprendre. Rousseau disait : « Pour se trouver, il faut savoir se perdre en forêt », mais n'allez pas encore imaginer qu'il faut partir en randonnée, ce serait trop simple. C'est de votre forêt dont il est question. Y a-t-il de grands chênes et des racines qui dépassent du sol ? Est-elle faite de pins et de clairières ou d'eucalyptus avec un sol orangé ? Trouvez votre forêt intérieure et dessinez-la.

Prenez une feuille et n'ayez pas peur si vous pensez ne pas savoir dessiner, personne ne sera derrière vous pour vous juger. C'est difficile de dessiner quand on est adulte, car on veut trop que cela ressemble au réel, l'imagination est bloquée. Émancipez-vous du jugement, dessinez votre forêt et entrez à l'intérieur, contemplez-vous et perdez-vous dedans.

10

Si vous voulez que la vie vous sourie, apportez-lui d'abord votre bonne humeur.

La vie est là. Elle coule en nous, sans même que nous le sachions car nous y sommes habitués. Mais pour devenir des êtres existants donc pensants, il faut se « savoir en vie » pour en profiter. La vie précède notre existence. Le cœur bat, le sang coule dans les veines, mais en sommes-nous conscients ? Cela paraît évident, mais avez-vous déjà réellement constaté que vous êtes en vie ? C'est une chance de l'être. Il faut essayer que cette chance devienne un état d'esprit. Vous êtes déjà porteur de la vie, vous n'avez plus qu'à enclencher un sourire et tout vous sourira. Voyez votre existence comme une mélodie. Choisissez une chanson qui vous fait vibrer, qui vous fait du bien comme un rayon de soleil. Devenez cette chanson, entendez le message qu'elle porte en elle : en quoi fait-elle écho en vous ? Elle vous rend heureux, alors faites de même avec votre vie, trouvez votre refrain et mettez-le en boucle en vous-même, le reste suivra.

Imagine there's no countries
Imaginez qu'il n'y a aucun pays
It isn't hard to do
Ce n'est pas dur à faire
Nothing to kill or die for
Aucune cause pour laquelle
tuer ou mourir

No religion too
Aucune religion non plus
Imagine all the people
Imaginez tous les gens
Living life in peace...
Vivant leurs vies
dans la paix...

John Lennon, *Imagine.*

11

La satisfaction intérieure est en vérité ce que nous pouvons espérer de plus grand.

Être satisfait de soi est un sentiment infini. On ne peut trouver la satisfaction que dans des actes qui nous valorisent, mais de la bonne façon, car le mot « valoriser » est mal vu dans notre société. Souvent, on se valorise par rapport à autrui : « Je suis mieux que cette personne » ou « Je me sens au-dessus ». Ici, le terme n'a rien à voir avec ces enfantillages d'adultes. On peut se valoriser par rapport à soi-même en se disant qu'on a fait quelque chose qui a pour nous de la valeur.

Quand avez-vous pour la dernière fois ressenti cet amour-là, celui qui naît à l'intérieur et qui s'est dirigé vers vous ? Sans doute, vous l'avez réfréné, car nous avons peur de dire que nous sommes fiers de nous, à cause d'un des fondements de notre culture, la culpabilité.

Accordez-vous de la valeur, car vous en avez. N'attendez pas que les autres ou que la société le fasse pour vous, car c'est vous qui êtes votre propre miroir. Pensez donc à cet événement qui vous a rendu fier de vous face à un vrai miroir. Revivez ce moment du début à la fin et savourez-le, regardez votre visage, il porte votre amour et c'est vous qui avez créé ce sentiment, personne d'autre. C'est grâce à vous qu'il existe. Félicitez-vous car vous vous êtes fait un très beau cadeau.

12

Ne pas railler, ne pas déplorer, ne pas maudire, mais comprendre.

Dans cette vie que nous menons, il est difficile (voire impossible) de ne pas maudire son voisin, railler son collègue de travail, de ne pas déplorer que les jeunes écrivent en texto, etc. Se plaindre ou encore juger est notre premier réflexe, il semble même être naturel…

Pourquoi faisons-nous cela ? Parce que c'est un raccourci facile, il vaut mieux mettre le doigt sur ce qui ne va pas sans se soucier de la cause du problème. Et pourtant, le comprendre, le saisir à la source serait peut-être encore plus simple que de se mettre dans un état d'énervement. Rien ne vient de nulle part. Si nous étions à même d'interpréter ce que nous condamnons, nous serions plus indulgents et éviterions donc de juger. Il importe surtout de se demander pourquoi ces choses qui nous mettent hors de nous nous touchent autant.

Comprendre les autres, c'est se comprendre soi. Ce qui nous atteint nous appartient forcément. Il ne tient qu'à nous de diriger cette atteinte vers la pensée et d'en tirer le meilleur pour nous-mêmes. Ceci n'est pas une mince affaire, car c'est une remise en question permanente qui est le pendant de ces situations limites. Il faut donc réagir et vite quand il nous arrive de nous emballer sur un sujet ou sur quelqu'un. Mais c'est un bel effort qui n'en sera plus un quand nous aurons trouvé l'accès à la compréhension et des autres et de nous-mêmes. L'un n'existe pas sans l'autre.

L'expérience ne nous enseigne pas les essences des choses.

Les expériences que nous avons des choses sont les lanternes du passé. Elles nous éclairent quand nous prenons un chemin qui semble être identique à celui que nous avons déjà pris. Ça marche pour les histoires d'amour par exemple, que nous vivons toujours par rapport à une précédente. On ne veut pas retomber dans les erreurs du passé, reproduire un schéma, ou continuer à souffrir des mêmes sentiments.

Regardez autour de vous, personne ne revit la même histoire chaque jour, c'est impossible. Même si vous avez un travail répétitif, une vie réglée, un emploi du temps que vous devez suivre, jamais la vie n'est la même. De plus, cette expérience ne nous apprend rien, elle nous fait nous retourner en arrière, et elle ne tient pas compte de l'essence même de la situation vécue. En un mot, elle n'est jamais à la hauteur du ressenti que nous avions et ne peut être qu'une action du mental et non un souvenir concret dans sa globalité.

Nous avons le souvenir de l'odeur de la maison de notre grand-mère, mais nous ne pouvons en expliquer l'essence, on peut juste dire : « Ça me rappelle ma grand-mère », rien de plus. Il faut réussir à « dépasser le passé », pour vivre au présent, car c'est dans le présent qu'est l'essence, vous êtes toujours au présent. Il ne tient qu'à vous d'y être vraiment. Dans cette seule condition d'« ici et maintenant », vous êtes dans l'essence de votre propre existence.

14

L'émulation est le désir d'une chose quelconque. Désir qui est engendré en nous par ce fait que nous nous imaginons que les autres ont ce même désir.

Il n'y a rien de pire que de ne pas être soi, c'est toute la pensée de Spinoza qui tourne autour de cette notion. Il serait bien déçu de voir que, trois siècles plus tard, la plupart d'entre nous suivent un chemin qu'ils n'ont pour ainsi dire pas choisi. La société de consommation nous pousse à aimer la dernière voiture qui montre notre « pouvoir d'achat », et même à aller jusqu'à modifier notre corps pour ressembler à ce que nous ne sommes pas. Savoir se préserver des « attaques » extérieures qui nous font être ce que nous ne sommes pas et qui dirigent notre façon de penser.

Pensons par exemple au coup de foudre. Quand nous tombons amoureux, il y a quelque chose de plus, l'essence de deux individus qui dépasse le reste. Ça ne se trouve pas partout, la chose est rare et inattendue. Il faut absolument retrouver qui nous sommes et par là même qui nous allons aimer. De cela découlera tout le reste : notre attitude, le métier que l'on voudrait faire vraiment – même payé au lance-pierre –, nos propres choix, notre propre mode de vie et ce que ça représente pour nous.

« J'aime, je n'aime pas : cela n'a aucune importance pour personne ; cela apparemment n'a pas de sens. Et pourtant, tout cela veut dire : mon corps n'est pas le même que le vôtre. »

Roland Barthes

Une affection qui est une passion cesse d'être une passion sitôt que nous nous en formons une idée claire et distincte.

Pour Spinoza, la passion n'est ni une romance ni un amour destructeur, mais un phénomène qui empêche d'avancer, qui bloque notre énergie. L'amour, l'état amoureux, est l'affect universel que nous connaissons tous. Pour Platon, le désir est manque. Partant de ce principe, soit il n'y a pas d'amour heureux, puisque dès que nous possédons ce qui nous manque nous cessons de l'aimer, soit nous aimons celui que nous ne pouvons atteindre. Dans les deux cas, la souffrance est de mise !

Mais si notre affect peut s'apaiser et nous pousser vers une réflexion sur l'être aimé alors, on peut aimer d'une manière libérée. Nous pouvons même aimer à distance sans que l'image de l'autre nous apparaisse comme douloureuse. Comment faire ? C'est simple, il faut prendre l'amour et les affects pour ce qu'ils sont : une réjouissance. S'ils ne le sont pas, c'est que quelque chose vous en empêche ou que vous lisez trop Platon ! Si, entre ces deux philosophes votre cœur vacille, alors voici ce que pense Aristote : « L'amour, c'est se réjouir. » Tout est dit.

La haine doit être vaincue par l'amour et la générosité.

La haine est un sentiment que nous éprouvons tous dans nos vies. Elle est toujours là, tel un *sniper,* pour nous atteindre et nous faire sortir de nous-mêmes. Qu'est-ce que la haine ? C'est un sentiment de répulsion face à quelque chose ou quelqu'un qui nous pousse à agir à son encontre. La haine comme l'amour peuvent prendre toute la place de notre représentation du monde. Mais la haine a un côté positif, et même deux. D'abord, elle constitue une force, destructrice il est vrai, mais une force tout de même. Puis elle s'apparente à une forme d'empathie : quand nous ressentons vraiment de la haine pour quelque chose ou quelqu'un, en se mettant à sa place, nous le comprenons et savons où faire mal. Dit comme ça, c'est assez cruel, je vous l'accorde, mais l'empathie, c'est « ressentir de l'intérieur », c'est donc un mécanisme qui prouve que nous avons des sentiments. Nous avons donc « fabriqué » cette haine envers autrui à l'endroit même où nous fabriquons d'autres ressentiments : l'amour ou la générosité.

Posez-vous ces questions : pourquoi je déteste cette personne, finalement ? L'énergie de la haine peut nous servir à la rediriger vers la tolérance, voire, mieux, à la transformer en son contraire : la générosité. Sachez éteindre sa lumière en vous, comme dans une pièce de votre maison et refermez sa porte. Ensuite, allumez une autre pièce, celle où vous vous sentez bien et où vous pourrez juger de la situation avec clarté.

L'orgueil est le fait d'avoir, par amour, une opinion plus avantageuse que de raison sur soi-même.

Le mot « ego » vient du grec ἐγώ qui veut dire « je/moi ». Il signifie la représentation que l'on a de soi. Ce miroir imaginaire peut parfois être déformant car nous ne sommes pas dans le réel lorsque nous sommes face à lui.

« Je/moi » veut aussi sous-entendre que nous sommes séparés du reste : le monde, l'infini, la nature et les autres. Rappelez-vous les prétentieux qui peuplent nos rencontres et leur « moi, je... » ou « je suis... ». Monologue interminable et sans but, si ce n'est d'impressionner et de briller. L'égocentrisme est le mal du siècle, la plupart des personnages qui réussissent dans le monde des affaires, en politique, se sont créé un ego surdimensionné.

L'ego n'existe pas, il n'est qu'une illusion. Nous l'avons créé pour éviter la vie. La peur d'être rejeté crée une armure. Si nous l'avons créée, nous pouvons donc l'enlever, mais c'est difficile, car dès le début, la compétition commence : l'école, le sport, parfois même dans notre propre famille, etc.

Comment faire pour éviter que l'ego prenne trop de place ? Surtout, ne pas vouloir le faire taire, car il est en nous maintenant, on ne peut pas nier une partie de notre être. On peut, en revanche, le transformer, se moquer de lui. « J'ai été le dernier à réussir telle chose » : sachez en rire, qu'est-ce qu'on gagne à être le premier ? Rien, on est à la place où l'on doit être, c'est tout !

18

L'esprit en tant qu'il comprend toutes les choses comme nécessaires a en cela plus de puissance sur les affects, autrement dit, en pâtit moins.

Appliquer notre intelligence à comprendre que toute chose est nécessaire dans notre vie. Par exemple, lorsqu'il nous arrive une chose, elle est rattachée à une cause. Le fait qu'elle arrive jusqu'à nous et qu'elle intervienne dans notre vie implique que nous avions laissé la possibilité que cela arrive. Ce phénomène fonctionne aussi bien pour les bonnes que pour les mauvaises choses. Deux questions se posent alors ? En sommes-nous la cause, ou bien faisons-nous partie de la chaîne d'une cause extérieure ?

Si nous arrivons à comprendre les causes, nous comprendrons les effets. Ces effets sont souvent néfastes : le remords, les regrets, la somatisation. Assumer quoi qu'il nous en coûte ce que nous vivons, même quand cela nous paraît injuste, car venant de l'extérieur. C'est parce que la porte est ouverte que l'on peut entrer. Ce que propose Spinoza, c'est d'apprivoiser nos sentiments pour en être les maîtres, mais pas totalement. Plus de puissance sur les affects ne veut pas dire ne plus en avoir, mais en avoir sans en souffrir.

Réfléchissez sur toutes ces fois où vous avez vécu des situations limites. Rappelez-vous à quelle époque ? D'où venaient-elles ? Pourquoi vous sont-elles arrivées ? Ensuite, reprenez aussi celles qui vous ont fait du bien en appliquant le même schéma. Tirez vos propres conclusions.

19

Les hommes agissent toujours en vue d'une fin : leur utilité propre, objet naturel de leur désir. Il en résulte qu'ils ne demandent jamais à connaître que les causes finales de toutes les actions possibles.

Cette phrase est comme une petite gifle qu'on prend derrière la tête ! Comprendre les choses qui nous arrivent est un allié précieux, mais mener nos actions en les dirigeant vers la finalité devient pur calcul. Est-ce ça, la vie ? Tout faire pour arriver à ses fins et ne pas faire les choses dans un élan ? Par exemple, la générosité est un élan qui ne demande rien en échange. Si on donne pour recevoir, l'amour du geste est gâché. Au même titre que si nous savons seulement donner ou juste recevoir, l'acte est raté. Bien sûr, dans le travail, nous demandons à connaître la fin d'un contrat, combien nous allons gagner d'argent, c'est la société qui veut ça. Mais dans l'existence et non la vie quotidienne, la finalité, nous l'ignorons et il ne sert à rien de vouloir la saisir. Ne pas confondre le mécanisme de la vie en société et de la vie, la vraie, la vôtre. Nous existons avant toute chose qui nous arrive, ne jamais l'oublier. Le « Je pense donc je suis » de Descartes, devient alors une autre évidence : « Je suis donc je pense. »

C'est la connaissance qui cause l'amour.

La connaissance est un fait ou une manière de connaître quelque chose en l'embrassant dans sa globalité. D'où la phrase célèbre de Socrate : « Connais-toi toi-même » pour accéder à notre propre être. Mais cela va encore plus loin, la phrase dans sa totalité est : « Connais-toi toi-même, et tu connaîtras l'univers et les Dieux. » Se connaître serait par là même prendre connaissance du monde. Nous savons que rester ignorant ne nous aide en rien et que chercher à comprendre nous ouvre l'esprit et le regard.

Connaître, c'est pouvoir répondre de tout. C'est avoir conscience de nos gestes, de nos paroles et de ce fait faire surgir le sentiment d'amour. Pourquoi la connaissance rime t-elle pour Spinoza avec amour ? Parce que connaître, c'est savoir et savoir, c'est aimer. L'amour cherche une proximité avec les choses, donc il est logique que chercher à connaître nous fasse apprendre le langage de l'amour. Parfois, c'est parce qu'on aime que l'on veut connaître, et parfois c'est l'inverse, c'est donc bien que l'un et l'autre se font écho.

« Toute connaissance commence par les sentiments. »

Léonard de Vinci

21

La fausseté des idées consiste dans la privation de connaissance qu'enveloppent les idées inadéquates, c'est-à-dire les idées mutilées et confuses.

Dormir huit heures, manger bio, faire vingt minutes de sport par jour ; *what else ?* ne pas manger trop sucré, être soigneux avec tous les animaux (ne pas jeter les araignées dans l'évier), ne pas manger trop salé, fumer nuit à notre santé, être un membre important et informé d'une entreprise (pragmatique mais pas idéaliste). L'abus d'alcool est dangereux, avoir des pneus qui agrippent au sol mouillé en cas d'accident, être bien dans sa peau en étant mince. Les antibiotiques, c'est pas automatique, faire le régime des stars d'Hollywood, avoir une bonne mutuelle et peu de cholestérol, bricoler le dimanche matin. Zéros tracas, zéro blabla, manger du poisson le vendredi, « chouchou et loulou », c'est vous. Nous, c'est le goût, la meilleure qualité au meilleur prix, manger cinq fruit et légumes par jour.

Ou plutôt :

Se sentir soi, écrire son propre scénario de vie, tendre vers ce qu'on veut être et non ce qu'on doit être, se sentir libre, être heureux, manger trois fruits et légumes voire zéro si on en a envie, ne pas être mince pour ressembler à quelqu'un que nous ne sommes pas, trouver son propre régime de vie, travailler sur soi, comprendre, exister, trouver son bien-être, débloquer ses peurs, trouver la recette de sa réussite, se sentir soi, point.

22

Je dis concept plutôt que perception,
parce que le nom de perception semble
indiquer que l'âme reçoit de l'objet
une impression passive, et que concept,
au contraire, paraît exprimer l'action de l'âme.

Ce que Spinoza souligne, c'est que le concept exprime un mouvement de l'âme, une poussée. Implique-t-il le corps dans cet acte ? Sans doute si l'âme agit, le corps est impliqué. Mais sentons-nous que le corps se met en adéquation avec l'âme ?

Pas vraiment. Nous le connaissons en général, quand nous nous en servons : porter un sac et nous sentons le poids sur notre épaule, avoir froid et nous remarquons la sensation sur notre peau. Ne nous trompons pas, dans ces sensations, le corps n'existe pas. Il fonctionne comme une machine. Nous ne sommes pas une voiture, nous sommes un corps et une âme existe dans ce corps. Et cette âme parle à travers lui : l'amour, la haine, être heureux, souffrir. C'est dans ces vérités que notre corps porte nos états d'âme, et qu'on sent pleinement qu'il existe.

Penser le corps, c'est réussir à transformer ses idées en mouvement, sans qu'il soit passif ou suiveur.

Mettez votre corps en position de compréhension, c'est-à-dire en ouverture comme votre esprit doit l'être, parce que le corps est ce que vous pensez, alors pensez à accomplir et vous avancerez.

23

La paix intérieure peut provenir de la raison, et cette paix née de la raison est la plus haute où il nous soit donné d'atteindre.

Pour bien comprendre cette phrase et la sentir physiquement, il faut prendre au pied de la lettre le « où » qu'a choisi Spinoza. Il ne dit pas « la raison la plus haute QU'il nous soit donné d'atteindre », mais OÙ.

Le « où » est un endroit. Mais où est-il, ce « où »? Il est en vous, caché, c'est un lieu bien gardé que vous seul pouvez connaître. C'est par le raisonnement que l'on peut le trouver. Pensez à le découvrir de manière ludique, comme un enfant. Vous passiez des heures à fouiller la terre pour jouer les petits Indiana Jones, alors allez-y !

« L'enfance trouve son paradis dans l'instant. Elle ne demande pas du bonheur. Elle est le bonheur », disait Louis Pauwels. Donc, plus un instant à perdre. Pensez votre corps comme un territoire dont votre âme est l'explorateur. Repoussez vos limites, cherchez, fouillez, vous avez été Indiana Jones, un Indien, une princesse, alors ressuscitez-les ! Le jeu consiste à (re)trouver, et retracer l'emplacement de votre paix intérieure. Dessinez sur une feuille une carte au trésor, faites un chemin qui mènera jusqu'à lui. Sur la route, disposez des endroits clefs. Cette fois, ce ne seront pas des arbres ou des rochers, mais ce qui vous rend heureux (sentiments, personnes, etc.). Trouvez ce qui vous fait accéder à la paix, de cette façon vous pourrez savoir par où elle passe et où elle est située.

24

La paix intérieure, c'est la joie qui naît pour l'homme de la contemplation de soi-même et de sa puissance d'agir.

Que faisons-nous lorsque l'on regarde quelque chose ou quelqu'un ? On le regarde avec les yeux, puis on l'observe avec l'esprit. Et si on veut aller plus loin, on le contemple avec l'âme. Contempler, c'est savoir regarder les choses avec votre âme. Dans notre quotidien, on se regarde faire les choses, comme une machine, une boîte à musique qui joue toujours la même chanson. On observe ensuite les autres faire ça, une musique, souvent la même. On pointe d'abord du doigt, en remarquant leur mélodie, en s'en moquant presque, et puis on comprend qu'on fait la même chose. On commence alors à changer une note du refrain, on se retrouve soi. « C'est cette musicalité que je préfère ! », on se contemple de l'intérieur et la chanson a changé. On agit et on change tout ça, on pensait être du Chopin et on est les Rolling Stones, on était un riff de guitare de Nirvana et on est en fait un arrangement de Beethoven. Trouver sa paix intérieure, son bien-être, c'est la joie de se trouver en passant par soi-même. Et quand nous avons cela, cela c'est-à-dire l'harmonie, nous pouvons agir en conséquence. Et plus : agir selon les conséquences.

« La musique est dans tout. Un hymne sort du monde. »

Victor Hugo

25

Ainsi l'homme, en tant qu'il est une partie de la nature, doit suivre les lois de la nature, et c'est là le culte de Dieu ; et aussi longtemps qu'il fait cela, il est heureux.

Petit cours de philo :
Il faut bien éclaircir ce que le mot « Dieu » vient faire ici. Il renvoie à une puissance et non à un « Dieu » au sens religieux. Spinoza l'explique lui-même, comme « un être absolument infini, c'est-à-dire, une substance consistant en une infinité d'attributs dont chacun exprime une essence éternelle et infinie ». Dieu pour Spinoza est la nature, qui elle-même, étymologiquement, veut dire « ce qui existe depuis la naissance ».

*

Donc, si nous existons, nous faisons partie d'un tout : la naissance et donc la vie. Nous sommes la vie. Et si nous sommes la vie, nous sommes l'infini. Essayez de sentir cet infini en vous. Vous êtes comme les paysages que vous aimez contempler : vous êtes la plage, l'étendue de sable, ainsi que la mer et l'horizon. Vous faites partie de la naissance du monde, et vous l'êtes aussi, vous êtes un paysage, je l'ai déjà dit, mais un paysage émotionnel. C'est un exercice difficile à ressentir car, dans le monde d'aujourd'hui, on nous apprend l'individualité et l'égocentrisme, sans compter que nous polluons nos propres paysages. Sentir le fait que l'on est en vie, que l'on est la vie : vous vous étonnerez d'être heureux de le comprendre, de le savoir, et de le transmettre à votre tour.

26

L'âme est propre à percevoir d'une manière adéquate un plus grand nombre de choses, suivant que son corps a plus de points communs avec les corps extérieurs.

Votre corps a donc des points communs avec les autres humains, bien entendu. Ce que veut dire Spinoza ici, c'est que l'empathie, c'est-à-dire la capacité à se mettre à la place d'un autre, décuple notre force de penser et d'éprouver les choses. Encore plus fort, si nous sommes l'essence de la vie, nous ne sommes pas seulement similaires à un homme, mais aussi au monde qui nous entoure. Plus grande sera notre empathie, plus grande sera notre âme.

« Ma vie durant, je me suis accrochée à l'idéal de la connaissance, mais je me trompais. Nous nous trompions tous. Ce n'est pas de connaissance que nous avons besoin, pas du tout. Les individus ont besoin d'apprendre, mais la société a besoin d'autre chose, de la vibration de la lumière sur la mer, de l'instinct qui pousse à nous nicher les uns contre autres, pour nous tenir au chaud. Nous avons besoin d'empathie, nous avons besoin d'yeux qui sachent pleurer. »

Lydia Mille, *Le Cœur est un noyau candide*.

27

Sans la vertu, c'est-à-dire sans une bonne direction de l'entendement, tout est perdu ; nous ne pouvons vivre en paix avec nous-mêmes ; et nous sommes en dehors de notre élément.

L'entendement est ce qui nous permet de saisir les problèmes. Il est déjà en partie une façon de les résoudre. Mais sans lui, nous sommes comme déboussolés et nous ne pouvons atteindre la quiétude. Comment faire pour que l'entendement prenne le pas sur la peur ? Car c'est encore elle qui nous fait perdre le contrôle en évitant faussement le problème sans le résoudre. Jusqu'au moment où nous n'avons plus le choix. Et pourtant, nous l'avons eu, ce choix, il suffisait de ne pas se défiler et de le prendre à bras-le-corps. Assumer le chaos dans lequel on se trouve, le regarder en face et en faire son allié. Comment ? En en prenant conscience et en trouvant le chemin le plus simple, le moins douloureux pour qu'il disparaisse. Sans ça, nous sommes en dehors de notre élément, à côté, et nous nous éloignons de nous-mêmes car un poids pèse sur nous. En déplaçant le problème, nous nous sommes déplacés avec lui. Nous n'avons pas le droit de nous faire vivre ça, d'autant que le résoudre au plus vite permet de ne pas le traîner avec nous. Sans compter que c'est un mensonge de croire qu'il n'existe plus si on l'écarte. C'est tout le contraire : il prend de l'ampleur. À nous de savoir cueillir au bon moment ce qui nous déplaît pour pouvoir se sentir libérés et retourner vers nous-mêmes.

28

L'homme qui entend dire d'une chose qu'elle est bonne éprouve pour elle du désir.

C'est le propre de l'homme de croire. Nous croyons aimer une chose ou quelqu'un quand nous avons eu de bons échos. Il suffit qu'ils nous viennent de quelqu'un de confiance et nous fonçons tête baissée. Ça marche pour tout, un bon restaurant, un film à aller voir, une personne que nous devons « absolument » rencontrer. Lorsqu'une rumeur vient à nos oreilles, nous la prenons comme argent comptant car la source a l'air fiable. C'est comme ça que la publicité s'immisce dans nos têtes et que, soudainement, on aime les barres de céréales de telle marque ou la crème antirides enrichie d'une plante dont on n'arrive même pas à prononcer le nom, encore moins celui de sa provenance. Aiguiser, toujours, son esprit critique, car une chose bonne pour les autres ne l'est pas forcément pour vous. Heureusement d'ailleurs car nous serions tous les mêmes.

C'est d'ailleurs le but de la publicité, faire aimer une chose au plus grand nombre en leur faisant croire qu'ils sont uniques. Uniques, en sentant tous la même odeur, avec les mêmes vêtements et la même vie...

Ne pas (s')oublier :

Une chose n'est désirable que lorsqu'elle vous plaît à vous. Bien sûr, elle peut plaire sans doute à d'autres, mais elle vous fait du bien jusqu'au désir.

« On en vient à aimer son désir et non plus l'objet de son désir. »

Friedrich Nietzsche

L'amour consiste à jouir d'une chose et à s'unir à elle.

Jusque-là, rien de bien nouveau... Non, mais c'est vrai, on est tous au courant ! Mais, en y réfléchissant bien, le sommes-nous vraiment ? L'amour est un des grands mystères de l'existence et cumule les définitions. Pour Balzac, « parler d'amour c'est faire l'amour ». Pour Alberoni, c'est une manifestation collective à deux, tandis que pour Oscar Wilde, « aimer, c'est se surpasser ». Il existe des millions de définitions, car il existe plusieurs façons d'aimer, et autant de les vivre et les raconter. Mais cette définition de Spinoza qui paraît naïve est sans doute une version qui est juste, car l'amour devrait être synonyme de simplicité.

Cette définition est donc limpide : jouir, c'est trouver une chose qui nous procure un bien-être, un état de grâce. Cela sous-entend que nous pouvons sentir qu'une chose nous correspond à tel point que, d'emblée, elle nous rend heureux. Nous ne savons rien d'elle, puisque nous ne sommes pas encore « unis » à elle. C'est la sensation de bien-être, comme lorsqu'on rencontre un rayon de soleil, qui nous pousse vers l'objet du désir. Si nous trouvons ce qui nous fait du bien en profondeur, nous saurons reconnaître cette chose ou cette personne. Sans aimer pour aimer, pour seulement être au chaud dans un sentiment qui nous rassure, mais pour aimer parce que ça vient de l'intérieur, et que l'objet vous correspond totalement.

30

L'amour naît donc de la représentation et de la connaissance que nous avons d'un objet ; et plus l'objet se montre grand et imposant, plus l'amour est grand et imposant en nous.

L'amour comme un état, comme une position dans l'existence, qui naît au contact de ce que l'on voit. Nous nous faisons donc une représentation, comme un croquis personnel de ce que nous regardons. Ensuite se rajoute la connaissance de cette chose. Qu'elle est-elle ? Réveille-t-elle en moi un passé que je connais déjà et est-ce pour cela qu'elle m'attire ? Est-elle nouvelle, étrange, et est-ce pour cela que je suis saisi par elle ? Mais surtout, qu'elle est-elle, elle-même, sans mon regard et mon expérience qui parlent à ma place ? D'un coup, l'objet d'amour devient lui-même, prend ses propres proportions, dépasse le croquis, et se dessine alors tel qu'il est : grand et imposant. L'amour n'est plus alors un sentiment mais une substance englobante, qui prend la place même de l'amour, se déploie en nous-mêmes et dépasse du cadre.

Cherchez en vous cet amour-là qui arrive à accéder aux choses par le sentiment pour finir par un infini, un horizon pur. On peut quasiment le faire comme un exercice. Regarder l'objet aimé de loin. Le saisir dans sa petitesse, l'étroitesse du regard. En faire un croquis dans sa tête, pour le comprendre, le saisir dans son infini.

« L'amour, c'est beaucoup plus que l'amour. »

Jacques Chardonne

31

Nous pouvons nous affranchir de l'amour de deux manières : ou bien par la connaissance d'une chose meilleure, ou bien par l'expérience qui nous apprend que l'objet aimé que nous avons pris pour quelque chose de grand et de magnifique nous apporte beaucoup de douleur, de peine et de dommage.

Penchons-nous sur les histoires d'amour, car l'exemple de Spinoza colle parfaitement. Nous en avons tous fait l'expérience d'arrêter une histoire, quelle qu'elle soit. Il y a donc deux manières qui nous permettent de sortir d'un amour. Soit en rencontrant un autre être qui semble nous correspondre plus, soit quand l'illusion de l'amour s'arrête. Le rideau tombe, et nous découvrons tout à coup que nous sommes malheureux par amour.

Platon nous dit que « l'amour rend aveugle », oui et non. Oui, l'amour rend aveugle si nous n'avons pas pris connaissance de nous-mêmes et donc de l'autre. Comment, si nous ne sommes pas nés en nous-mêmes, pourrions-nous donner naissance à quoi que ce soit ? Et non, l'amour, le véritable, rend voyant quand il est éclairé par la raison, et que nous savons qui nous sommes.

Essayer de ne pas s'illusionner.

Savoir comprendre avant d'agir.

Si vous êtes malheureux dans votre histoire, libérez-vous d'elle parce que l'amour rend heureux.

Remettez-vous en question, et entrez en vous pour savoir d'où vient toute cette peine que vous vous êtes infligée, consciemment ou non.

L'amour et le désir sont sujets à l'excès.

Nous y voilà, tout ce qui peut être bon est forcément mauvais.

Allons, au fil de ces pages, nous avons appris à raisonner ; tout ça, ce n'est qu'un lieu commun, un mouroir de la pensée. Ce qui est bon est forcément bon, sauf si nous ne savons pas le manipuler. Manipuler au sens de créer, comme de la terre qui deviendrait sculpture. Sachez que l'amour est le socle de l'homme. Il est en vous et vous êtes né d'un amour. Même si vous n'en êtes pas persuadé aux vues de votre schéma familial, ça n'a que peu d'importance. Si vous êtes venu au monde, c'est que la nature vous a désiré, oubliez vos barrières familiales. Vous êtes vous, sans cela. L'amour et le désir peuvent devenir excès, c'est vrai, mais ne le sont pas par essence. C'est lorsque vous quittez le socle que l'excès existe, car nous le faisons apparaître de notre ignorance des choses. Ils sont sujets à devenir un trop-plein quand nous sommes vides de nous-mêmes.

Se ressourcer, se ressaisir, se sentir bien au fond de soi fera que vous serez le bien. La juste mesure, voilà ce qu'il faut atteindre. L'amour n'est que bonheur de soi, à travers soi et au-delà de soi. Le désir n'est que vouloir le mieux pour nous-mêmes. Alors, tout va bien, l'excès n'est que de passage dans nos vies, n'ayons pas peur de parfois passer par lui, pour mieux comprendre ce qui nous habite vraiment.

33

Toutes les actions auxquelles nous sommes déterminés par un affect passif, la raison peut nous y déterminer indépendamment de cet affect.

Si nous sommes gouvernés par notre affect, nous sommes comme un enfant. Nous restons enfants, nous agissons en ignorant ce que nous faisons. C'est formidable au demeurant, mais si nous voulons « grandir » et nous connaître, sans rester coincés dans une connaissance de nous-mêmes, il faut se connecter avec la raison. Raisonner et rester en partie enfant, c'est devenir totalement libre. Comment faire pour réussir cet équilibre ?

C'est une chose périlleuse à trouver, nous sommes comme des équilibristes en nous-mêmes. Mais, pour y arriver, il ne faut plus être l'esclave de nos affects, c'est primordial. Se détacher, savoir se pencher sur vous-même, en vous-même, et laisser l'enfant parler. Puis, après l'avoir écouté, raisonner ces propos en les déplaçant vers l'entendement. Là pourra commencer un nouveau travail en nous, celui d'être un homme libre qui tiendra la main de l'enfant. Faites-vous ce petit schéma, vous êtes un adulte, et votre enfant intérieur garde vos émotions, et vous les transmet par la main que vous lui donnez. Mais il ne domine pas, c'est vous l'adulte, celui qui décide avec raison.

Si vous voulez une image plus forte et plus poétique : imaginez une balançoire, vous êtes l'enfant qui se balance dessus, et vous êtes l'adulte qui contrôle la cadence, derrière lui.

« L'enfant est le père de l'homme. »
William Wordsworth

34

L'homme qui conduit la raison est plus libre dans la cité où il vit selon le décret commun, que dans la solitude où il n'obéit qu'à lui-même.

La vie en société est une réalité assez dure. « Métro, boulot, dodo » est un slogan qui fait froid dans le dos, mais nous devons tous passer par là. Certains s'en trouvent bien, car ils ne se posent pas de questions et s'en accommodent, mais d'autres sont comme contraints à jouer ce jeu sociétal. Mais nous y sommes, alors une bonne fois pour toutes, habituons-nous et dépassons cela pour éviter l'isolement. Réfléchir aux choses n'est pas s'isoler, mais rayonner. Dans la solitude, nous n'avancerons jamais. Autant sortir le nez dehors et comprendre pourquoi la société est comme elle est. Et surtout ne pas perdre de vue que nous en faisons partie.

N'obéir qu'à soi-même, c'est se renfermer. Se connaître, c'est s'orienter. On ne voit pas, dans la nature, des animaux qui quittent le troupeau pour rester au creux d'un arbre et penser, seuls, comme Hamlet coincé dans son délire. De deux choses l'une, si vous n'aimez pas la tournure du monde, grand bien vous fasse ! Mais ne vous isolez pas, parce que le monde a besoin de vous ! Si la raison rencontre votre perception de la société, vous comprendrez alors ce qui vous dérange et vous pourrez être libre.

« Nous sommes à un seuil, entre les horreurs de la première décennie et les possibilités des décennies suivantes. Mais il faut espérer, il faut toujours espérer. »

Stéphane Hessel, *Indignez-vous*.

La vertu de l'homme libre se montre aussi grande à éviter les dangers qu'à les surmonter.

L'homme libre est celui qui s'est trouvé dans sa totalité. Nous sommes libres et nous pouvons donc chacun surmonter les dangers à notre manière. Nous avons même les moyens de les éviter. « Il vaut mieux prévenir que guérir » : être conscient de sa liberté d'agir permet de ne pas subir le problème, mais de l'anticiper à notre façon. Chacun à ses propres clefs pour lui permettre de contourner ce qui pourrait lui être préjudiciable.

Vous souhaitez avoir votre chez-vous ? Réfléchissez aux conditions, vous avez la liberté de choisir ce qui vous convient le mieux sans vous sentir obligé de répondre à des schémas financiers pesants. Prenez ce qui vous correspond pour ne pas souffrir des conséquences plus tard et avoir à les gérer. Prenez moins de m^2 si vous vous sentez mieux de cette façon, louez au lieu d'acheter si ça vous rassure, ou inversement. Vous partez en vacances ? Vous êtes libre de choisir ce qui est adapté à votre envie et à votre besoin du moment. Ne vous orientez pas vers un voyage trop long ou trop court, trop fatigant ou trop cher... La liste des exemples quotidiens et triviaux est longue ! Spinoza insiste bien : vous trouverez autant de satisfaction à surmonter une épreuve qu'à l'esquiver... Alors rappelez-vous de cette liberté, prenez-en conscience pour agir au mieux et ne pas vous mettre en danger. Pas de dangers, pas de stress !

36

L'espérance est une joie mal assurée qui provient de l'idée d'une chose future ou passée dont l'événement nous laisse quelque doute.

Le dicton populaire dit : « L'espoir fait vivre. » Mais être en vie n'a rien à voir avec la notion d'espérance. L'espoir se rajoute à la vie, au fil du temps et donc de nos expériences. Expériences qui nous empêchent de vivre pleinement parce qu'elles nous attachent forcément à un passé. L'expérience est comme une case à cocher : nous avons vécu cela, c'est un acquis. Mais elle ne doit pas déterminer qui nous sommes. L'espoir est une barrière car il nous lie au passé en se dirigeant vers le futur. Nous espérons qu'une chose passée ne se reproduise pas dans le futur, ou qu'une chose que nous souhaitons nouvelle arrive bientôt. Nous attendons en quelque sorte qu'il fasse effet. L'espoir n'est pas un moteur, mais un frein. Il nous fait attendre, patienter, nous ne savons rien de lui. Ne passez pas votre vie à espérer, mais à réaliser des choses. Vous voulez atteindre tel but. Demandez-vous s'il vous correspond vraiment et s'il est bon pour vous. Si oui, n'attendez pas en vous dirigeant vers l'espoir, car celui-ci est un poids et non une force. Agissez pour le dépasser et atteignez ce que vous souhaitez en connaissance de cause et mettez-y votre courage. Vous y arriverez.

37

Toute chose qu'on se représente comme conduisant à la joie, on fait effort pour qu'elle y arrive ; si au contraire, elle doit être un obstacle à la joie et mener à la tristesse, on fait effort pour l'écarter ou la détruire.

Cela semble logique et, pourtant, nous faisons souvent le contraire ou nous agissons machinalement : comme les papillons de nuit qui se brûlent à la lumière de l'ampoule. Sont-ils idiots pour autant ? On pourrait le croire, mais c'est dans leur nature d'aller vers la lumière. C'est uniquement parce que la lumière brille soudainement dans la nuit qu'ils y vont. C'est contre nature pour eux qu'elle soit présente à ce moment-là. Nous faisons comme eux. Parfois, on se représente une chose qui est bonne mais nous ne pouvons pas y accéder, n'allons pas nous y brûler, acceptons simplement qu'elle ne soit pas pour nous. Elle devient un obstacle à la joie, donc passons à côté ou trouvons un détour en nous pour y accéder. Si nous sommes assurés, à la fois dans notre for intérieur et notre raison, que c'est bon pour nous, nous devons tout mettre en œuvre pour y accéder. S'il y a un barrage, faites-le sauter ! Il n'est qu'en vous-même, donc facile d'accès. Mettez toute votre énergie au service de la joie.

« L'énergie est la joie éternelle. »

William Blake

38

La haine qui est complètement vaincue par l'amour devient de l'amour ; et cet amour est plus grand que s'il n'eût pas été précédé par la haine.

Vaincre la haine par l'amour est un des plus grands combats que nous pouvons gagner sur nous-mêmes. Comment réussir à transformer la haine en amour, la contraindre à devenir ce qu'elle n'est pas ? En comprenant comment elle a grandi en nous, et en respectant aussi la place qu'on lui a laissée. Cette haine nous semblait légitime si elle s'est installée. En quoi l'est-elle vraiment ? Nous fait-elle du bien ? Quand on sait, ce qu'elle est, et pourquoi elle y est, nous avons déjà une partie de la solution pour la déloger.

À la seconde question, la réponse est qu'elle ne nous fait pas du bien, elle nous fait même du tort. Rappelons-nous que lorsque nous « avons la haine », comme on dit, le corps tremble. Si nous tremblons, c'est qu'il y a un choc qui vient de se faire sentir, mais c'est aussi que nous avons peur. De nous-mêmes, parce que la situation est critique et que le corps s'est emballé par une peur abstraite. Nous ne sommes plus nous-mêmes, car nous nous emballons. Éteindre le volcan avec de l'eau. De plus, ce que souligne Spinoza, c'est que cet amour-là, qui naît de la haine, est plus grand car il aura vaincu une partie de nous-mêmes. La haine divise, et l'amour réunit.

« Puisque la haine ne cessera jamais avec la haine,
la haine cessera avec l'amour. »

Bouddha

39

Quand l'âme se contemple soi-même et sa puissance d'action, elle se réjouit ; d'autant plus qu'elle se représente plus distinctement et soi-même et sa puissance d'action.

Il n'est pas chose aisée d'arriver à se contempler soi-même. On peut contempler un paysage, une personne autre que soit, une œuvre d'art, mais soi-même, l'avons-nous seulement déjà envisagé ? Se regarder dans un miroir, oui, mais cette fois, se contempler avec l'âme et non les yeux. Comprendre que l'âme puisse réussir ce prodige est déjà un bel effort. Savoir situer son âme, la laisser regarder soi et constater par elle notre puissance d'action sur le réel doit être magnifique.

Comment réussir ce tour de force ? En ayant conscience de soi et savoir d'où l'on regarde les choses, car plusieurs parties différentes de notre être peuvent voir. Par exemple, quand nous aimons quelqu'un, on le regarde d'abord avec le désir qui vient du cœur. Ou encore, dans un musée, face à une œuvre d'art, nous regardons avec l'âme, car elle nous force à réfléchir, à aller plus loin. Là, nous avons passé à ce moment précis un stade de plénitude, et nous sommes réjouis par elle, à travers elle. On peut poser son âme où l'on veut, à partir du moment où nous avons trouvé cet endroit et qu'il s'est ouvert en nous. Cela peut se passer à chaque instant, ouvrons l'œil pour ne pas manquer le moment où on atteindra ce stade de reconnaissance de nous-mêmes.

Il n'y a d'amour éternel que l'amour intellectuel.

De nos jours, traiter quelqu'un d'intellectuel est péjoratif. Être un intello, c'est porter des lunettes, avoir des livres chez soi, et même réfléchir : horreur !... Ce qui est assez contraire à la tendance actuelle : le glamour, le culte du corps, et l'image que l'on donne à voir aux autres. C'est bien de s'aimer quand on se regarde dans son miroir, et d'avoir une image qui nous sied. Mais quand l'âme est vide, et que la pensée n'est pas nourrie, on n'existe pas vraiment. À la limite, on se laisse vivre et on n'a pas d'autre choix que de suivre la direction que les autres nous montrent. Car, sans discernement, on ne peut pas voir quel chemin prendre. C'est d'une tristesse sans appel.

L'amour véritable, celui qui est en nous, et qui est pour Spinoza la nature même de l'homme, se complète par l'intelligence. Nous ne pouvons pas être beaux, bien en nous, si nous ne sommes pas habiles et éveillés. Si nous mettons en route cette idée que l'amour éternel est l'amour intellectuel, nous pourrions d'autant plus être nous-mêmes. Pourquoi ? Parce que le jugement que nous portons sur les choses nous permet d'évaluer ce que nous voyons et qui nous sommes par rapport à elles. L'intellect primera toujours sur la pulsion, et penser, c'est par avance aimer.

« L'intelligence ne vaut qu'au service de l'amour. »
Antoine de Saint-Exupéry

41

La vraie félicité, la béatitude consiste dans la seule jouissance du bien, et non dans la gloire dont un homme jouit à l'exclusion de tous les autres.

Comme le disait Andy Warhol, « tout le monde aura son quart d'heure de gloire » ; oui, mais pourquoi voulons-nous que ça dure ? C'est parce que nous croyons que la gloire est synonyme de pouvoir, et donc de privilèges. Et ce n'est pas faux. C'est même d'autant plus vrai, aujourd'hui, où la starification bat son plein. Nous pensons qu'attirer sur nous les regards sera bénéfique, mais c'est un leurre. La gloire ne se partage pas : c'est quelque chose que l'on garde pour soi. Car le pouvoir qui découle de la reconnaissance nous renvoie une image faussée. La reconnaissance ne passe que par soi-même d'abord. Se connaître et arriver jusqu'à la béatitude d'être soi est un sentiment qui, lui, se partage. Regardez les gens qui affichent un sourire dans la rue, ils vous le donnent en passant. Et vous le recevez puisqu'il apparaît sur votre visage. La gloire, personne ne peut la donner, elle exclut les autres, car c'est un statut social et non un état. On ne peut pas être heureux si on profite des privilèges en écrasant, méprisant ou ignorant les autres. On se pense heureux, mais on ne l'est pas. Et puis la gloire ne dure pas toute une vie, alors que la béatitude est une force que personne ne peut vous enlever, car elle est en vous. Comme on dit, « les heures de gloire ont la vie courte », mais la quête de la béatitude dure toute la vie.

Toutes les lois qui peuvent être transgressées sont des lois humaines.

Pour Spinoza, la question de la liberté, sous toutes ses formes, est ce qu'il a cherché toute sa vie durant. Liberté d'être soi et liberté des hommes en général. Dans la nature, les règles sont simples. Chaque animal connaît son espace de liberté, sait reconnaître les siens, et se préserver des prédateurs. Les lois de la vie sont toujours les mêmes : la naissance, la transformation et la mort. Ce sont ce qu'il appelle les règles universelles de la nature. Nous, les hommes, avons dû ajouter nos propres règles, car nous avons besoin de structurer notre pensée autant que notre cadre de vie. C'est parce que ces lois ont été ajoutées par nous, et qu'elles ne viennent pas de la nature, qu'elles sont transgressables.

« Chercher à comprendre c'est commencer à désobéir », disait Jean-Michel Wyl. Si nous comprenons les lois inventées par l'homme, nous pouvons les suivre ou non. Nous ne pouvons rien faire contre la nature (nous sommes nés, nous allons mourir…), mais nous pouvons dans les lois des hommes faire nos propres choix.

Savoir les règles universelles de la nature, qui est la base de ce que nous sommes, et celles que nous avons créées (sociétales et/ou familiales). Et trouver son équilibre au milieu, en transgressant nos règles ou non.

43

J'appelle libre, quant à moi, une chose qui est
et agit par la seule nécessité de sa nature ;
contraire, celle qui est déterminée par une autre
à exister et à agir d'une certaine façon déterminée.

Nous y voilà, au cœur même de la liberté. Spinoza, prend pour exemple une pierre, pour expliquer sa pensée :

« Une pierre, par exemple, reçoit d'une cause extérieure qui la pousse une certaine quantité de mouvement et, l'impulsion de la cause extérieure venant à cesser, elle continuera à se mouvoir nécessairement. Cette persistance de la pierre dans le mouvement est une contrainte, non parce qu'elle est nécessaire, mais parce qu'elle doit être définie par l'impulsion d'une cause extérieure. »

Et si la pierre pouvait penser ? Qu'elle sache qu'on la pousse, et qu'elle fasse un effort avec cette poussée pour avancer. La pierre se pensera libre parce qu'elle fait un mouvement, qu'elle a suivi, mais dont elle s'est persuadée que c'est ce qu'elle devait faire. Elle n'avait pas d'autre choix puisqu'elle n'est qu'une pierre. Combien de fois dans votre vie vous êtes-vous contenté d'agir parce qu'on vous y a poussé ? Soyez le mouvement, le vent qui vous pousse et l'action qui en découle. Soyez le tout.

Exercice « Prise de conscience » : ramassez une pierre, jetez-la par terre et regardez-la avancer. Elle ne peut rien faire d'autre ! Pas vous.

44

Seul l'amour est infini, c'est-à-dire que plus il s'accroît, plus nous sommes parfaits, puisque, son objet étant infini, il peut toujours grandir, ce qui ne se rencontre dans aucune autre chose.

Être parfait, en voilà une idée ! Être parfait, c'est avoir un corps bien proportionné, avec des mensurations adéquates, avoir une belle silhouette, c'est ça ? Oui, c'est ça actuellement, mais nous allons régler ce problème. Pour Spinoza, la perfection s'atteint grâce à l'amour. C'est la capacité d'amour que nous devons augmenter, et non diminuer nos repas pour être parfaits ! Ouvrez votre pensée vers le sentiment d'amour.

Retrouvez en vous ce que vous avez aimé : doudou, amis, animaux de compagnie, famille, arbre dans un jardin, colonie de vacances. Énumérez ce qui vous a rendu heureux. En deuxième lieu, détachez-vous du matériel, enlevez le souvenir qui s'accroche à l'amour. Le doudou n'existe plus, le premier amoureux non plus, effacez l'odeur, le visage, pour ne garder que le sentiment d'amour. Le séparer du reste. Retrouvez le réflexe d'amour en vous, pour le garder, savoir le reconnaître pour ce qu'il est. C'est lui que nous cherchons partout, dans les autres souvent, alors qu'en fait il est déjà à l'intérieur de nous.

45

En produisant en nous le véritable amour du prochain, fait que nous n'avons jamais pour lui ni haine ni colère, et que nous désirons au contraire le secourir et améliorer sa condition.

Qu'est-ce que le véritable amour du prochain ? Il n'est pas à prendre dans un sens religieux, mais universel. Aimer ce qui va être, ce qui va devenir, voilà ce que cela veut dire. Le véritable amour enlève les peurs et les barrières que nous nous sommes construites, pour ne laisser que le bon. Tirer le bien des choses avant de n'en voir que le mauvais, de peur qu'il y soit. Il y sera forcément si nous l'anticipons. Et si nous pensions aux bonnes choses qui vont arriver, nous allons les provoquer, forcément. Eh oui, il y aura sûrement des obstacles, il faut les prendre en compte, en être conscients, mais cela ne doit pas nous guider. Avoir confiance en son prochain, c'est avoir confiance en soi et au-delà de soi, donc dans ce qui va arriver. Il est donc impossible d'avoir de la haine, de la colère, du mépris pour le futur, quand on est sûr de soi. Pour accéder au véritable amour du prochain, comment faire ? Toujours le même processus, et j'espère bien que ces pages vous aideront à le trouver et que vous savez qu'il est en vous. Il y est déjà, vous n'avez plus qu'à gratter, comme la lampe d'Aladin, pour trouver le bonheur qui est en vous.

Nous appelons désir cette inclination de l'âme qui la porte vers ce qu'elle reconnaît comme un bien.

Oui, nous désirons ce que nous pensons être bon. Mais, n'oublions pas que penser une chose « bonne » ne veut pas dire qu'elle le soit forcément. Mais nous tendons vers elle, car nous y voyons le bien. Le mot « inclination » qu'emploie Spinoza est très révélateur : s'incliner devant le désir de notre âme, se laisser faire par elle, qui nous donne de la hauteur, de la puissance. Nous pensons, généralement, que la puissance et l'inclination ne font pas bon ménage. Par définition, on ne peut pas, si on est penché sur soi-même (posture de repli), être plus fort. Et c'est justement là que l'on a tort : s'incliner, c'est la force d'être soi. Pas besoin d'être un surhomme, d'être dans une démonstration, on est soi, on s'écoute penser et on agit. Ensuite, le désir devenu Votre désir se transforme en une volonté :

> « La volonté permet de grimper sur les cimes ; sans volonté, on reste au pied de la montagne. »
>
> Proverbe chinois

47

Plus l'homme s'imagine qu'il est l'objet des louanges d'autrui, plus cette joie est alimentée dans son âme.

Oui, on peut aimer faire du bien à condition de se sentir bien, l'un ne va pas sans l'autre, nous l'avons compris. On peut alors être d'autant plus fier quand les autres le sont pour nous, sans que cela soit taxé d'orgueil. L'orgueil n'est pas forcément mal placé, il peut être au bon endroit de notre être. Nous devons le remplir avec nos actions et la récompense de ces actions. C'est aussi par ce chemin que l'on peut apprendre à s'aimer. S'aimer dans le regard des autres, de sorte que nous y voyions de la joie que nous avons créée.

Par exemple, savoir reconnaître que l'on est capable de transmettre le bonheur à travers soi et qu'il nous dépasse de telle sorte qu'il rend heureux les autres. Un conseil avisé à un ami désespéré qui retrouve le sourire, un coup de main au bon moment, une compétence au travail qui aide nos collègues… Tout cela peut créer un échange d'amour, un transfert de contentement mutuel. Si les autres savent le recycler en louanges envers nous, sachons jouir de ça. Et, d'un seul coup, nous saurons qu'il est possible que nous soyons la cause du bonheur. Et nous sommes le bonheur, après tout ! C'est ce qu'on appelle un cercle vertueux, entrez donc dans votre cercle, visitez-le, et sachez l'apprécier à sa juste valeur : vous-même.

Toute passion d'un individu quelconque diffère de la passion d'un autre individu autant que l'essence du premier diffère du second.

Chacun a en lui sa propre passion, ses propres affects. Cette richesse est ce que nous avons de plus précieux car c'est ce qui nous anime. Comment la découvrir et faire qu'elle devienne réelle ?

C'est assez simple, il faut, dans un premier temps, laisser parler ce qui est en nous. Nous savons que pour Spinoza la passion est source de confusion. Elle est bénéfique, si nous arrivons à la raisonner. Rendre le brouillon de nos pensées en des idées claires et possibles à réaliser. Plus elle est réfléchie (et non pas réfrénée), plus elle sera unique, propre à notre essence, car elle nous ressemblera en tout point.

Vouloir se réaliser, voilà encore une clef du bonheur. D'autant que créer et aller au bout de la passion, c'est renaître en puissance.

Encore une fois, vous êtes le réalisateur de toute chose et votre moteur est à la fois votre différence et votre façon de la partager.

« Les idées sont les racines de la création. »

Ernest Dimnet

L'âme et le corps ne sont qu'un seul individu.

Pour Spinoza, le corps et l'âme sont indissociables. L'un, sans l'autre, n'existe pas et, surtout, aucun des deux n'est au-dessus de l'autre. On pourrait imaginer qu'un grand penseur serait amené à dire que l'âme qui invente des concepts serait supérieure à notre corps. Pas pour lui en tout cas, on sent bien là une pensée libre, ainsi qu'un intellectuel qui ne se pense pas supérieur. L'union de l'âme et du corps est donc parfaite par définition, l'un doit servir l'autre, car on ne peut pas les séparer.

Rappelons encore, ne cessons pas de le répéter et de le lire dans ces pages, que les images du monde moderne tentent de séparer cet accord : corps/esprit. Pourquoi ? Si nous étions tous conscients de cette harmonie, nous serions moins dociles. Pardon de le rabâcher et de le souligner, mais nous sommes dans un processus de négation de nous-mêmes, et de consommation. Le bonheur n'est pas dans la photo paradisiaque de l'affiche pour une compagnie aérienne, mais il est déjà en vous, il suffit de reconnecter le corps et l'esprit et vous serez au paradis à l'intérieur. Cette île, elle est de l'ordre de l'intrinsèque. Réagissez, faites mentir la société actuelle pour, qui sait, en construire une nouvelle à travers vous. Vous qui êtes libre de penser, libre de mouvement, libre d'être, tout simplement.

« Aux moments de crise, ce n'est pas contre un ennemi extérieur qu'on lutte, mais toujours contre son propre corps. »

Georges Orwell

On pourra voir alors à quel point le savant est plus puissant que l'ignorant.

Ne voyons là aucun jugement de valeur. Prenons le terme « savant » comme étant « celui qui sait », et « ignorant » comme « celui qui n'a pas encore découvert ». Celui qui ne sait pas pourra toujours ressentir les choses au lieu d'en être au courant. C'est bien pour cela que l'ignorant n'est pas une cause perdue, car il peut toujours devenir savant. Le savant peut non seulement connaître mais aussi ressentir. Il a donc deux flèches à son arc. Comment faire ?

Être capable de connaître le détail comme le tout. Pour faire cet exercice, allez dans un musée. Trouvez une œuvre qui vous interpelle. La peinture est une excellente base pour s'entraîner à voir. Par pitié, ne vous jetez pas tout de suite sur la petite pancarte explicative ! Restez à distance de l'œuvre et contemplez-la. Prenez votre temps. Maintenant, prenez vos mains et faites-en des jumelles et posez-les sur vos yeux. Voyez, remarquez les détails, passez sur la toile comme si c'était une carte routière et que vous cherchiez le nom d'une rue. Ensuite, rapprochez-vous, regardez sa matière, est-elle craquelée par le temps ou au contraire semble-t-elle douce ? Admirez-la et réalisez à quel point elle est profonde pour vous. Maintenant, vous pouvez regarder la petite pancarte, savoir d'où vient cette œuvre, de quoi elle est faite, de quelle époque et quel homme l'a créée.

« Vivre le monde en tant qu'un immense musée d'étrangetés. »

Giorgio de Chirico

51

Celui qui a bien compris que toutes choses résultent de la nécessité de la nature divine, et se font suivant les lois et les règles éternelles de la nature, ne rencontrera jamais rien qui soit digne de haine.

Au fil de notre réflexion en miroir avec Spinoza, que notre propre nature, divine parce que dans l'homme, nous libère. En sachant qui nous sommes, nous sommes forcément libres. Et par là même, nous nous autorisons à dépasser la haine et la méchanceté (gratuite ou non). Se sentir au-dessus de ça, car nous n'en sommes plus là. Nous sommes dans notre ailleurs, et à la fois connectés avec notre nature profonde.

Refuser aussi la pitié, car elle ne fait qu'accroître notre sentiment de solitude en nous et creuser celui de la personne ou de la situation que nous jugeons. S'il faut aider pour que la pitié se transforme en échange, oui nous le pouvons. Sinon, se plaindre à travers l'autre ne fonctionne pas. En se tenant en joie (très joli terme, en passant...), nous nous tenons non seulement à son écoute, mais aussi nous la transmettons. Ces sentiments (culpabilité et pitié) sont issus de notre culture occidentale vieille de deux mille ans déjà. Il ne sert à rien de reproduire cela parce que, maintenant, non seulement vous êtes vous-même, mais vous atteindrez la joie par vous, sans dieu, sans icône, juste avec la nature et votre pensée.

« Garde-toi des idoles, marche, danse, écris et lis, mais surtout garde la parole, sinon ce sera demain le "silence des agneaux". »

Paul Virillo

52

Cet être éternel et infini que nous appelons Dieu ou la nature agit avec la même nécessité qu'il existe. N'existant pour aucune fin, il n'agit donc aussi pour aucune ; et comme son existence, son action n'a ni principe ni fin.

« Cet être éternel et infini » dont parle Spinoza est une substance créatrice : elle est donc éternelle puisqu'elle n'existe pas concrètement. Cette substance, on ne peut pas la voir à l'œil nu. Elle n'a donc pas de début et par conséquent pas de fin.

Nous, nous avons un début et une fin, un visage, un corps. Le fait de savoir que nous allons mourir nous fait exister. Pas vivre, exister. C'est parce que le temps est compté qu'il est précieux et à la fois stimulant. D'ailleurs, la nature est éternelle, mais quelle est-elle ? Une énergie créatrice, qui fait naître la multitude : du plus petit insecte à la plus grande montagne. Mais nous aussi nous créons, nous avons suivi son plan à travers l'art, la conception d'un enfant, la construction des villes ; tout cela, c'est produire notre propre substance. C'est donc en ce sens que nous sommes nous aussi éternels. Nous mourrons, oui, et nous sommes éternels aussi. Mourir met une fin à notre corps, notre existence civile, mais pas à la vie.

« Pour exécuter de grandes choses,
il faut vivre comme si on ne devait jamais mourir. »
Vauvenargues

53

L'amour qui a pour objet quelque chose d'éternel et d'infini nourrit notre âme d'une joie pure et sans aucun mélange de tristesse, et c'est vers ce bien si digne d'envie que doivent tendre tous nos efforts.

Il va de soi que l'amour doit être dirigé vers une chose qui demeurera éternelle et qui nourrit notre âme. C'est pour cela que l'amour intellectuel, pour Spinoza, est éternel, car on n'aura jamais fini de penser et de chercher. En quelque sorte, l'amour de soi-même est aussi éternel car, dès que nous l'avons trouvé, il est inépuisable. La conséquence, c'est que la joie qui en émane est forcément pure. Il faut donc aller vers lui, le dégager à travers soi de tout ce qui l'empêche d'exister au grand jour : la tristesse, la haine, le mépris, l'égo... Nous pouvons trouver mille raisons de ne pas nous plonger dans notre bonheur, c'est comme ça, nous avons plus peur que confiance. Mais il y a aussi mille choses qui font que nous pouvons y accéder : la contemplation, le désir, la quête de soi, la raison, se cultiver. Apprendre à s'écouter et à entendre le bonheur où il est.

« Quand j'avais six ans, ma mère me disait que le bonheur était la clef de la vie. À l'école, ils m'ont demandé ce que je souhaiterais faire quand je serais grand. J'ai écrit que je voulais être heureux... Ils m'ont dit que je n'avais rien compris à la question... Alors, je leur ai dit qu'ils n'avaient rien compris à la vie. »

John Lennon

54

L'effort par lequel chaque chose s'efforce de persévérer dans son être n'est rien à part l'essence actuelle de cette chose.

Que veut nous dire Spinoza dans cette phrase assez énigmatique ?

Qu'en tant qu'être nous nous efforçons, sans nous en rendre compte, de persévérer, de tendre vers notre propre essence. Notre essence, c'est la vie, la vitalité, notre souffle d'existence. C'est aussi simple que de dire : je respire, je suis en vie et conscient que c'est elle qui m'anime. L'essence est une partie intégrante de notre nature et provient du principe productif de la vie. Principe de vie que Spinoza appelle « dieu ». Pourquoi, alors, sommes-nous quand même malheureux ou mal dans notre peau, alors que nous avons cette source pure en nous ?

Parce que nous l'ignorons, et nous avons vu que l'ignorance de soi-même est le pire que nous puissions nous faire. S'oublier soi, c'est oublier sa nature.

Résister à soi-même dans le chagrin, la tourmente, ne pas se laisser faire par elle, car elle corrompt notre pouvoir de vivre. La source n'est jamais tarie, même si nous en avons la sensation. Le rire aussi est un atout majeur pour se sentir heureux ; sourire, c'est le premier maillon de la chaîne pour être heureux.

55

La crainte est une tristesse mal assurée qui provient de l'idée d'une chose future ou passée dont l'événement nous laisse quelque doute.

Pourquoi avoir peur de vivre ? C'est absurde, car nous vivons déjà ! Craindre, avoir peur nous fait soit reculer dans le passé soit voir le futur comme incertain. Prenons nos expériences négatives pour des acquis, des moments passés.

De plus, n'oublions pas que nous sommes dans le présent. Le « no futur » des punks n'était donc pas totalement nihiliste mais plutôt réaliste : nous ne sommes pas dans le futur, encore moins dans le passé mais dans le présent. Les doutes, ceux qui nous empêchent d'avancer, ne doivent pas contrôler nos vies. Apprenez à formuler vos pensées et à agir dans le présent, l'instant ; vous êtes ici et maintenant et pas ailleurs. Alors, réfléchissez-y : « Je suis vivant, je suis aujourd'hui, et je veux me sentir bien. » C'est un exemple, vous pouvez tout faire, tout demander. Vous avez appris le verbe « être » à l'école, réapprenez ce verbe maintenant, vous le connaissez mais, redites-le avec la pensée de Spinoza et tout ce que vous venez d'apprendre.

Je suis
Tu es
Il est
Nous sommes
Vous êtes
Ils sont

N'est-il pas différent, maintenant ?

56

La raison [...] demande donc que chacun s'aime lui-même, cherche l'utile propre, ce qui est réellement utile pour lui, appète tout ce qui conduit réellement l'homme à une perfection plus grande.

Nous allons nous arrêter sur le verbe choisi par Spinoza qui est « appéter ». Nous sommes ici dans un terme physiologique, organique. Dans le Grand Robert, il existe deux définitions :

1. Tendre vers ce qui peut satisfaire les besoins, les instincts, les penchants naturels. Désirer, rechercher.
2. Donner envie de manger (qqch.).

Ces deux significations se rejoignent en une même notion : l'appétit que l'on a pour les choses. Et qui dit appétit, dit faim. Et vous êtes sans doute habité par cette faim de compréhension de vous. Chercher l'utile propre à vous, c'est trouver quelque chose de nourrissant : spirituellement, intellectuellement ou encore physiquement. Comprenons que nous savons instinctivement ce qui est bon pour nous, même si des barrières se sont mises en travers pendant notre construction. Mais cela ne veut pas dire que nous ne pouvons plus accéder à nos penchants naturels. En les retrouvant par la réflexion, nous pouvons constituer notre propre recette du bonheur et de ce que nous sentons comme bon et nourricier. Il ne tient qu'à vous de commencer la liste des ingrédients dont vous avez besoin. La recette est intrinsèque, elle est toute personnelle, elle est à vous, pour vous, cette recette du bonheur. Soyez votre propre chef !

C'est un défaut commun aux hommes que de confier aux autres leurs desseins.

Oui, le plus souvent nous nous appuyons sur un autre ou sur d'autres pour conduire nos vies et donc nos choix. Notre famille, la société, la publicité nous dictent notre conduite, nous « poussent à ». Pourquoi les écoutons-nous, après tout ? Personne ne nous y oblige ! Par facilité. C'est toujours plus simple de se mettre « en mode automatique » et de se laisser porter. Mais, comprenons bien que nous nous trompons complètement en faisant ça. Nous pensons que nous sommes dans le vrai, mais nous sommes dans la vérité d'un autre ou d'un monde qui ne nous ressemble pas. Rien de pire que de suivre le mouvement sans savoir pourquoi nous le faisons. Nous ne sommes pas des moutons, mais des êtres humains, qui avons le pouvoir, voire la chance de créer et d'apprendre de nous-mêmes. Profitons-en !

C'est vrai que le monde est contradictoire sur ce point, les slogans publicitaires par exemple veulent séduire le plus grand nombre tout en lançant des slogans : « Sois toi-même », « N'écoute que toi ». Cette hypocrisie est partout, il faut être vigilant. Gardons leurs conseils, mais n'achetons pas leurs produits par exemple ! Ne prendre que les choses qui vous plaisent, le reste ne vous concerne pas après tout.

« Le danger pour l'homme est de vivre dans l'unique dessein de plaire à la société au point d'en perdre son entité. »

Éric Hude

La douleur est un passage à un état de moindre perfection.

Voilà le conseil du prophète, écrit par Khalil Gibran :

Et une femme parla, en disant : « Parle-nous de la Douleur. »

Et il dit :

« Votre douleur est cette fissure de la coquille qui recèle l'harmonie de votre esprit.

Tout comme le noyau d'un fruit doit se briser, afin que le cœur puisse mûrir au soleil, ainsi devez-vous connaître la douleur.

Et si vous pouviez maintenir votre cœur émerveillé devant les miracles quotidiens de votre vie, votre douleur vous apparaîtrait aussi merveilleuse que votre joie.

Et vous accepteriez les saisons qui aiment votre cœur, comme vous avez de tout temps accepté les quatre saisons qui traversent vos champs.

Et enfin vous sauriez comment veiller avec sérénité tout au long des hivers de vos malheurs.

Une grande part de votre douleur est choisie par vous-même.

La douleur n'est-elle pas cette passion amère que prescrit le médecin en vous pour guérir votre moi malade ?

Ayez confiance en ce médecin, et buvez donc sa potion en silence et en toute quiétude.

Bien que sa main soit forte et pesante, elle est guidée par la tendre main de l'Invisible.

Et même si la coupe d'argile qu'il vous tend vous brûle les lèvres, sachez que le potier l'a pétrie de Ses larmes sacrées. »

Khalil Gibran, *Le Prophète*.

59

La connaissance de l'union mentale avec toute la Nature. C'est donc la fin à laquelle je tends, à savoir acquérir une telle nature et faire effort pour que beaucoup l'acquièrent avec moi.

Montaigne disait que « philosopher, c'est apprendre à mourir ». Spinoza, lui, est à l'opposé puisque pour lui philosopher, c'est apprendre à vivre. S'initier à être soi, se sentir en osmose avec la Nature. Essayer de se chercher, de se trouver et de s'admettre soi, est un véritable apprentissage. N'y voyons aucune forme de moral, on ne doit pas être soi parce que Spinoza le décrète, mais parce que c'est véritablement ce que nous devons faire pour accéder à une nouvelle forme de pensée et toucher du doigt l'harmonie. Sachez que Spinoza a cherché toute son existence à comprendre les choses pour ce qu'elles étaient, par désir de puissance, de savoir et pour le partager.

C'est quand même admirable de penser qu'un homme a voulu trouver une solution pour que nous vivions mieux sans même en profiter de son vivant. Alors, écoutez son secret : prenez le temps de vous comprendre, de vous écouter et de vous aimer. Réfléchissez selon votre nature et non selon la volonté du monde. Et puis, le monde continue de tourner sans vous, le soleil se hisse le matin, laisse la place à la lune le soir, tout existe déjà selon sa nature propre. Retrouvez la vôtre et vous serez connecté au reste. Quand votre monde deviendra le monde, le monde sera vous.

L'ordre et la connexion des idées est le même que l'ordre et la connexion des choses.

Isaac Newton, au pied d'un pommier, regarde une pomme tomber et se demande par ricochet pourquoi la lune, elle, ne tombe pas. Il donna naissance, quelque temps plus tard, à la formule de l'attraction universelle : « Les astres s'attirent de façon proportionnelle au produit de leur masse et inversement proportionnelle au carré de la distance qui les sépare. »

Tout tient en équilibre, mais un équilibre parfait.

Je reprends :

Newton réfléchit. Au même instant, la lune est au-dessus de lui, il la regarde. Dans son verger de Woolsthorpe, il est sous un pommier. Une pomme passe devant son regard et s'écrase à ses pieds. La lune, la pomme, le cercle, l'idée.

Vous saisissez la fluidité des idées et des choses qui se sont connectées ?

Newton était cette lune qu'il regardait. Il l'était déjà mais sans le savoir. Il était aussi un humain, sur terre, qui a créé une idée, un concept qui rassemblera tous les hommes et les mettra d'accord à partir de lui. La nature de l'homme est de réfléchir et de créer. Les deux se sont rencontrés, sans que cela paraisse paranormal, ambigu, ou qu'une force extérieure ait agi pour qu'il y ait rencontre. Cette rencontre s'est faite naturellement, parce que les idées et l'ordre des choses sont en connexion, tout simplement.

Réalisez que vous êtes relié aux choses, ainsi que vos idées puisque vous les créez. Faites-vous à cette idée et tout se simplifiera !

61

Toute idée qui est en nous est absolue, autrement dit, adéquate, parfaite et vraie.

Nous l'avons déjà dit, les idées n'existent pas dans la réalité, elles n'existent que lorsqu'elles germent en nous et que nous les formulons. Elles sont de plusieurs sortes, disons de plusieurs intensités. « J'ai une idée, partons en vacances » ou encore : « J'ai l'idée de créer une start-up. » Si toutes les vérités ne sont pas bonnes à dire, de manière générale, les idées sont toutes bonnes en soi. Car non seulement elles proviennent de votre réflexion, mais elles sont au moment où elles apparaissent adéquates avec le présent.

Bien sûr, Newton, que nous avons pris pour exemple précédemment, a eu une idée lumineuse, éclairante pour tout le monde. Personne n'a dit que le dîner que vous avez projeté ne va pas faire que d'autres idées vont naître à ce moment-là. Avoir une idée est en soi un signe de création, même si elle vous paraît mineure, ne menant à rien. Écoutez, et vous verrez que vous ferez des petites choses pour vous et des grandes sans doute pour ceux qui vous entourent.

« Si tu as une pomme, que j'ai une pomme,
et que l'on échange nos pommes, nous aurons chacun
une pomme. Mais si tu as une idée, que j'ai une idée
et que l'on échange nos idées, nous aurons chacun deux idées. »

George Bernard Shaw

62

J'entendrai donc par joie une passion par laquelle le mental passe à une perfection plus grande.

Pour Spinoza, la passion est synonyme de confusion parce que c'est un état qui nous met hors de nous, hors du corps, nous pousse à ressentir des émotions et diminue nos capacités mentales. Mais si nous arrivons à raisonner notre passion pour ne plus la subir, alors nous passerons forcément à un stade supérieur. Comment réussir ce tour de force ? En faisant de la passion notre alliée. Voyez la passion comme une vague : quand on est dedans, on est secoué de tous les côtés. Nous pensons que ces tumultes sont bons pour nous car ils nous font du bien, mais dès que la vague est passée, où sommes-nous ? Nous ne sommes plus au même endroit qu'au départ ! Comment retrouver son chemin ? Impossible, on a été pris par elle, on s'est laissé faire. Imaginez que, cette fois, vous avez décidé de monter sur un radeau, comme celui de la *Méduse* de Géricault mais qui ne prend pas l'eau ! La vague arrive, elle est gigantesque et vous voulez vous confronter à elle. Eh bien, cette fois, comme vous avez réfléchi à comment la prendre, vous ne tomberez pas à l'eau, pas de tumultes, vous contrôlez votre amour pour elle. Vous remarquez même qu'elle s'est calmée, qu'elle est d'autant plus belle et que vous pouvez alors ne faire qu'un avec elle. La joie, la vraie, celle qui est englobante et qui vient du cœur, puis du corps peut sortir, jaillir de vous, parce que le mental a fait barrage au naufrage.

63

Le mental humain ne peut pas être absolument détruit avec le corps, mais il en demeure quelque chose d'éternel.

On se demande toujours pourquoi les philosophes font des phrases complexes pour expliquer des concepts simples. Ils pourraient très bien nous écrire des phrases comme le sont les dictons populaires : compréhensibles immédiatement par le plus grand nombre. Pourquoi font-ils ça ? Parce qu'il faut aller chercher au fond de soi pour les comprendre et apprendre ainsi la mécanique de la pensée. Aussi, pour ne pas réfléchir au premier degré. Comme pour cette phrase, par exemple, dont on pourrait comprendre : l'âme est éternelle quand le corps n'existe plus. Élargissez votre champ des possibles et ouvrez votre pensée. Spinoza ne pourrait pas écrire ça, grand athée devant l'éternel ! Que veut-il dire ? Souvenez-vous que nous sommes issus de la nature, du monde, et que nous en faisons partie. Le monde réel est le corps : il existe, puisque nous sommes là. Le monde idéel, celui des idées, existe quand nous le créons. Quand le corps meurt, la dimension pensante de l'être humain ne meurt pas, elle continue, elle se perpétue au-delà de nous et de notre fin. Il y aura toujours des Martin Luther King pour continuer un rêve et une lutte. Il y aura toujours de la musique sur terre parce que les mélodies continuent au-delà de la disparition.

Dans ce sens là, le mental humain, la source des idées coulera toujours après la mort.

Penser, c'est être toujours en vie.

64

Par là, nous pouvons comprendre clairement en quoi consiste notre salut, ou béatitude, ou Liberté : dans l'Amour constant et éternel envers Dieu, autrement dit dans l'Amour de Dieu envers les hommes.

Ici, nous accédons à la plus haute idée de Spinoza et à l'aboutissement de sa philosophie. Être soi à travers soi, dans l'amour de la nature et de sa nature. S'aimer soi avant toute chose. S'aimer non de manière narcissique, mais s'aimer car nous sommes là, et qu'il ne sert à rien de nous nier ou d'être dans un désamour. Sinon, nous sommes dans un « non-amour » qui nous empêche d'être libres et donc heureux. Sortez donc des schémas préconçus, des chemins qui sont déjà tracés et sachez prendre les vôtres.

Quand vous vous serez rencontré, vous suivrez votre propre direction. Revenu de ça, ou arrivé au bout, vous aurez changé. En fait, ce n'est pas le bon mot, vous aurez mué en vous-même et non en quelqu'un d'autre. Vous vous sentirez intrinsèquement heureux d'avoir renoué avec votre nature et donc, par la même, avec la nature de l'homme. De cet amour, que Spinoza nomme « constant », donc sans faille, vous pourrez atteindre la béatitude et l'harmonie de toute la totalité de vous-même et de l'infini.

« S'aimer soi-même est le début d'une histoire d'amour qui durera toute une vie. »

Oscar Wilde

65

Le fondement de tout bien et de tout mal est l'amour, suivant qu'il tombe sur tel ou tel objet : car si nous n'aimons pas l'objet qui est le seul digne d'être aimé, à savoir Dieu, si nous aimons au contraire les choses qui sont périssables, il s'ensuit nécessairement [...] que nous éprouvons la haine ou la tristesse après le changement de l'objet aimé.

Étant donné que nous sommes éternels au sens spinoziste, il va de soi que nous devrions nous tourner vers ce qui est de même nature que nous. En ce sens, aimer quelque chose de périssable, qui peut se briser ou disparaître, ne peut que nous faire du mal. Et en même temps, nous ne pouvons pas aimer que les choses qui sont immobiles et qui ne risquent rien. Car la vie, c'est aussi le risque qu'elle s'arrête, même si elle continue après nous. Comment faire alors ?

En sachant que la disparition ou la perte d'une chose ne l'enlève pas en nous-mêmes. Si nous réussissons à extraire le sentiment éprouvé pour cette chose, alors nous pourrons continuer d'aimer même si elle s'éteignait. Nous pouvons mettre en place cette nouvelle transmission en nous, ce courage du sentiment pur, dans notre vie entière. Impossible alors de perdre le sentiment d'amour pour quoi que ce soit, car il a dépassé l'objet qui le portait. L'objet n'a fait que faire passer l'amour, il en est le porteur, le fil conducteur jusqu'à vous.

« Même quand on l'a perdu, l'amour qu'on a connu vous laisse un goût de miel. L'amour, c'est éternel.»

Édith Piaf

Le mot donne à la pensée son existence la plus haute et la plus noble.

Le mot, les mots, plutôt, que l'on prête à notre pensée permettent de la faire exister. L'importance d'expliquer, de tirer au clair nos idées est capitale. Si nous ne formulons pas nos idées, nous les gardons coincées en nous-mêmes. Pire, elles n'existeront jamais concrètement ! Laissez libre cours à vos pensées, ne les contenez pas, laissez-les défiler dans votre tête et faites-les apparaître par des mots. Vous êtes humain et donc, par essence, vous êtes un créateur. Vos idées ont un sens, quoi que vous en pensiez !

Prenez le temps, chaque jour, de vous poser et d'écrire votre pensée du moment. On a toujours tenu des journaux intimes depuis la nuit des temps, ce n'est pas pour rien. Conceptualiser sa pensée, c'est s'estimer capable de tenir un discours sur les choses et de s'assumer. Vous n'êtes pas obligé de l'écrire, si ce n'est pas votre mode de fonctionnement. Vous êtes plus à l'aise à l'oral ? Soit, parlez, laissez jaillir le dialogue qui est en vous, à haute voix, seul, ou parlez-en autour de vous. Une pensée dévoilée à soi-même ou à un autre peut vous faire partir plus loin que là où vous étiez. D'ailleurs, la philosophie n'existerait pas sans les mots. Le langage est là pour nous faire parler, alors servez-vous-en !

« Les têtes se forment sur les langages, les pensées prennent la teinte des idiomes, l'esprit, en chaque langue, a sa forme particulière. »

Jean-Jacques Rousseau

67

Nous sommes actifs lorsqu'en nous ou hors de nous quelque chose se fait dont nous sommes la cause adéquate.

Ce que nous apprend Spinoza, c'est que la joie ou la tristesse provient en général d'une cause extérieure. Mais, elle devient une joie ou une tristesse car nous la prenons comme telle. Le bonheur ou le malheur n'existe que si nous le ressentons. C'est quand une chose nous touche qu'elle nous pénètre. Cela nous arrive malgré nous, et nous sommes passifs car nous subissons forcément la situation. En revanche, quand nous sommes la cause qui crée la joie ou la tristesse, c'est que nous possédons la même faculté que la nature des choses qui peuvent la provoquer.

Apprendre à jouer les caméléons des sentiments, ne pas se laisser faire par un état qui nous domine et nous rend donc passifs, mais le devenir intégralement. Se comprendre, ne pas parvenir à atteindre notre but, mais l'être intégralement. Spinoza nous a déjà appris que la joie arrive à ceux qui la dégagent. Ce qui revient à ne plus être la proie des choses, pour pouvoir être dans l'action des choses elles-mêmes. En sommes, être entier, ne pas être divisible et affecté. Comment faire ? Se comprendre et agir en conséquence, cela marche pour tout, vous verrez.

68

Si quelque chose augmente ou diminue, favorise ou empêche la puissance d'agir de notre corps, l'idée de cette chose augmente ou diminue, favorise ou empêche la puissance de penser de notre âme.

Cela sous-entend que non seulement notre corps et notre esprit sont reliés l'un à l'autre, mais qu'ils peuvent agir ensemble. Souvent, on les dissocie. L'âme relève de l'intellect ou de la spiritualité et même des deux. Le corps, lui, agit malgré nous – se lever le matin, marcher, bouger –, il n'est qu'une enveloppe charnelle. Du coup, on pourrait s'imaginer en faisant un raccourci que l'âme a plus de valeur. Or, pour Spinoza, l'un et l'autre ont la même importance et donc la même puissance. Essayer de relier son corps à son âme paraît complètement impossible ! Comment pouvons-nous réaliser ce miracle ? Rassurez-vous, vous êtes déjà ce corps et cette âme ensemble, mais vous ne vous en rendez pas compte. Se retrouver soi, pour réussir à atteindre l'action à la fois du corps et de l'esprit. Comment ? La relaxation peut aider : respirer calmement, par le ventre, fermer les yeux, sentir son corps et constater que les pensées dans un corps serein deviennent positives… Comprendre sa nature, c'est devenir l'origine de soi et des autres.

« Lorsque l'esprit est libre, le corps est délicat. »
William Shakespeare

69

L'âme s'efforce, autant qu'il est en elle, d'imaginer les choses qui augmentent ou favorisent la puissance d'agir du corps.

Votre âme est ce qui vous éveille puis ce qui vous élève. Ne laissez pas seulement les publicités, la télévision et les magazines y pénétrer. Donc, nourrissez votre âme de belles histoires, des histoires qui vous font du bien. Enfants, on vous lisait des contes ; la philosophie, elle, est un recueil de contes pour adultes.

Spinoza vous donne, encore une fois, le secret de la joie. Car si votre âme est capable d'envisager la joie, la peine, l'amour, le désastre, vous pouvez, si vous les comprenez comme tels, les diriger en sorte qu'ils agissent pour le mieux. Prenez votre âme comme étant le réceptacle de vos sentiments, de vos ressentis. C'est elle qui les gère et vous les fait éprouver à travers le corps. Vous pouvez alors par vous-même imaginer ce qui pourra augmenter la puissance d'action de votre corps. Racontez-vous de belles histoires, celles qui vous rendent heureux, qui tendent vers votre bien-être. Le corps agira en conséquence, forcément, car les deux sont reliés. Baudelaire disait que « l'imagination est la reine des facultés » ; cultivez-la, mettez-y des fleurs (et pas du mal !) autant que possible, tout ce que vous aimez et qui vous emmène vers votre action d'agir au mieux dans le réel.

70

Nul ne peut désirer d'être heureux, de bien agir et de bien vivre, qui ne désire en même temps d'être, d'agir et de vivre, c'est-à-dire d'exister actuellement.

La recherche du bonheur est ce que nous désirons tous. Mais avons-nous conscience de ce qu'il est vraiment pour nous ? Trouvez ce que l'on met vraiment derrière le mot « bonheur ». Prenez donc ce mot au pied de la lettre et écrivez-le sur une feuille. Écrivez-le en assez gros pour qu'il prenne une place de choix. Nous allons tester une technique créée par un publicitaire : le brainstorming (remue-méninges). Après tout, si la pub peut nous faire acheter n'importe quoi, on peut bien se servir de ces techniques et les tirer, pour une fois, à notre avantage…

Donc, vous venez d'écrire le mot : bonheur. En dessous, lâchez toutes les idées qui vous renvoient à lui. Remplissez toute la feuille, et relisez ensuite à tête reposée.

Le secret pour être heureux est dans la fin de la phrase de Spinoza, « exister actuellement ». Il ne dit pas exister, il dit exister maintenant, agir maintenant. Le présent est seul capable de vous faire vivre le bonheur. Le passé est mort, le futur n'existe pas, donc vous pouvez le vivre tout de suite. Ne perdez pas votre temps, retournez votre feuille avec le mot « bonheur » et écrivez maintenant au dos : « Être heureux ici et maintenant. » Vous verrez que vos priorités auront changé. Plus de chocolat, moins de « bonheur éphémère », mais le vrai, celui qui est dans l'instant que vous jouez.

71

Personne ne s'efforce de conserver son être à cause d'une autre chose que soi-même.

En somme, la vie ne tient qu'à nous. Facile à dire mais difficile de s'en apercevoir. Comment s'en rendre compte ? En étant conscients de notre existence et en nous enracinant dans notre être. Trouver nos propres racines, et les laisser nous guider. Personne ne peut ou n'a le droit de nous forcer à vivre et par là même à nous faire vivre une vie que nous ne voulons pas. Sauf si nous en décidons autrement et que nous nous laissons faire. Cela nous arrive de vivre une autre vie que la nôtre, car le monde moderne régit nos mouvements. Si nous réfléchissons bien, tout a été créé pour que nous vivions mieux, par tranches horaires, et pouvoir faire un crédit, avoir cinq semaines de vacances par an, etc. Mais pour trouver, chercher le sens de sa vie, est-ce que la société a prévu un créneau ? Non, aucun. Mais le sens de la vie n'est autre que celui qu'on lui donne. Nous nous devons de la choisir, de prendre le bon chemin, et éviter de nous rendre compte, au bout d'un moment, que nous avons été dépossédés d'elle par notre ignorance de nous-mêmes. Ignorance sur laquelle toute la société contemporaine nous attend au tournant pour faire de nous, comme Charlot dans *Les Temps modernes* un esclave du temps, mais pas du nôtre.

« L'homme est une victime du conditionnement des âmes, des sanctions et des permissions. »

« La connaissance de l'homme est à la base de tout succès. »

Charlie Chaplin

72

Ce que j'appelle esclavage, c'est l'impuissance de l'homme à gouverner et à contenir ses passions.

Sommes-nous vraiment libres ou pensons-nous seulement l'être ? Grande question, car nous sommes à la fois libres et esclaves des choses. Esclaves d'un système et à la fois libres de penser. Penser, c'est la vraie liberté que nous avons. Les gens enfermés dans des cellules vous le diront, on n'enlève à personne ses rêves, son intellect, sa substance créatrice.

Mais le vrai esclavage, celui qui nous rend malheureux, c'est quand nous subissons nos propres batailles intérieures. Quand nous ne maîtrisons pas notre existence, alors que notre vie, elle, avance. On dit « gagner sa vie » pour désigner le fait que l'on gagne de l'argent, cette expression fait froid dans le dos. Disons plutôt que gagner sa vie, c'est pouvoir avoir un certain confort. Et notre existence, c'est à nous de la trouver. Essayer de ne pas tomber dans les illusions et de ne pas se laisser submerger par toutes les énergies qui nous rendent indifférents, car elles prennent tout notre temps. Vous vous appartenez, quoi qu'on dise sur votre bulletin de salaire, sur un arbre généalogique, vous êtes vous, et vous êtes libre si vous le comprenez vraiment.

« Écrire liberté sur le bord d'une plage, c'est déjà avoir la liberté de l'écrire. Même si la mer efface ce mot : la liberté demeure. »

Jean-Michel Wyl

73

Nous voyons donc que l'habitude où sont les hommes de donner aux choses le nom de parfaites ou d'imparfaites est fondée sur un préjugé plutôt que sur une vraie connaissance de la nature.

Les préjugés sont des opinions préconçues dont les sources varient : époque, milieu social, éducation. Ils sont le fruit de notre ignorance. Et nous savons que la raison, la pensée, est la voix non seulement vers nous-mêmes mais aussi vers le bonheur. Se comprendre nous permet de comprendre l'autre. Réussir à discerner la réelle signification des choses à travers notre propre jugement. De plus, ce qui est parfait ou imparfait pour quelqu'un ne l'est pas forcément pour nous. On dit bien que « tous les goûts sont dans la nature »! Et comme la nature est dans chaque chose, alors tout est dans un parfait équilibre. Trouvez le vôtre est vous trouverez la justesse dans toute chose.

Essayons de ne plus répandre les généralités entendues ici et là. Mode d'emploi :

Lorsque nous disons, par mécanisme, une généralité que nous avons entendue ou créée de nous-mêmes, trouvons le moyen de la faire taire.

Comprendre à travers soi combien il est absurde de s'abaisser à un tel niveau de non-compréhension des choses, et se dire que mettre les gens ou les idées dans des cases est digne des ignorants que nous ne sommes plus, puisque nous lisons Spinoza !

74

Le bien que désire pour lui-même tout homme qui pratique la vertu, il le désirera également pour les autres hommes, et avec d'autant plus de force qu'il aura une plus grande connaissance de Dieu.

C'est lorsque l'on trouve le bien en soi-même qu'on souhaite que tout le monde le porte en lui. C'est quand on s'est réalisé qu'on souhaite que les autres passent par ce chemin. Quand notre lumière intérieure, conduite par la raison, jaillit, nous voulons la partager et faire qu'elle se propage : pour que tout le monde trouve sa lumière. C'est ce geste que l'homme transmet à l'enfant normalement, même si nous savons que la plupart du temps nous faisons les choses par mimétisme. Mais quand nous sommes en nous, ancrés comme un arbre dans le sol, nous voulons le bien aussi pour les autres. Devenez cette source, cette lumière, choisissez même ce qu'elle est, votre propre mot pour la nommer et passez le relais. C'est quand même magnifique de pouvoir transmettre un savoir, d'autant que celui-ci c'est vous qui l'avez créé. Alors faites-vous ce cadeau et donnez-le à vous, à travers vous et au-delà de vous.

« Celui qui est le maître de lui-même est plus grand que celui qui est le maître du monde. »

Bouddha

75

Si nous dégageons une émotion de l'âme, une passion de la pensée d'une cause extérieure, en associant à cette passion des pensées d'une autre espèce, l'amour ou la haine dont cette cause extérieure était l'objet et tous les mouvements de l'âme qui en étaient la suite doivent disparaître aussitôt.

Nous avons le pouvoir de changer les choses, même si nous avons du mal à le croire vraiment. Nous agissons en conséquence, mais jamais ou si peu, sans que cette même cause nous arrive. Avez-vous déjà senti que vous aviez la possibilité de changer sans que quelque chose vous pousse à le faire ? Si oui, vous êtes déjà le maître en votre royaume, sinon il ne tient qu'à vous de le réaliser et de le mettre à profit. Quand une émotion surgit à cause d'un événement qui vous arrive, prenez ce sentiment, ce ressenti pour ce qu'il est. Il est créé par vous-même et non par la cause extérieure. La preuve en est : quelqu'un d'autre que vous aurait sans doute réagi différemment, c'est donc bien que ce que vous ressentez n'appartient qu'à vous.

Demandez-vous pourquoi cet émoi, bon ou mauvais, vous arrive. D'où vient-il ? Quand est-ce qu'il est venu à vous la dernière fois ? Pourquoi se manifeste-t-il encore ? Après avoir fait ce bilan, vous vous rendrez compte que nous pouvons tout à fait vivre un événement sans y participer avec une émotion, mais en le ressentant avec votre mental. Le mental permet de désamorcer le premier sentiment qui est monté comme un sauvage en vous.

76

La vraie félicité, la béatitude consiste dans la seule jouissance du bien, et non la gloire dont un homme jouit à l'exclusion de tous les autres.

Il est difficile d'évaluer ce qu'est la béatitude. De nos jours, on nous fait croire que, être heureux, c'est posséder. La société de consommation s'acharne à nous faire croire qu'avoir une voiture dernier cri, un Smartphone et un écran à LED peut changer notre vie. S'ajoute à ça le pouvoir de l'image où la télévision fabrique des stars à la chaîne (!), nous présente la gloire comme la félicité. Pensez-vous avoir vraiment besoin de vous relooker ou d'avoir un coach amoureux pour comprendre qui vous êtes ?

On imagine que les gens sont heureux quand ils sont au sommet, quand ils ont acquis une reconnaissance sociale et qu'ils ont du pouvoir. À quoi cela leur sert-il ? À exclure les autres et à se comporter comme s'ils étaient au-dessus de nous, de vous. Personne ne peut y prétendre, ni même votre patron ou votre aîné en âge. Nous sommes tous les mêmes, faits du même sang et de la même nature. Le pouvoir extérieur détruit tout autour de lui car l'ego et l'orgueil se hissent en vous quand nous les cultivons. Comprenez que le pouvoir vous l'avez déjà, sans aller au Fouquet's, sans posséder une Porsche. Le pouvoir est en vous, il est intérieur, et associé à votre intellect, il est plus puissant que vous ne le pensez. Laissez-le s'exprimer et vous rendre justice : vous êtes heureux tel que vous êtes, pas besoin d'en vouloir plus.

77

La béatitude n'est pas le prix de la vertu. C'est la vertu elle-même, et ce n'est point parce que nous contenons nos mauvaises passions que nous la possédons.

Il serait trop simple de croire que, si nous refrénons nos émotions négatives, cela nous donne accès à la quiétude. Par exemple, si nous évitons le sentiment de colère que nous éprouvons pour une personne, en la niant, cela ne fonctionne pas. Cette personne existe et on ne peut pas nier qu'elle est sur terre. Cela s'appelle une fuite de nous-mêmes, et là encore c'est de la pure ignorance. La quiétude, la béatitude ou encore le nirvana s'atteignent quand nous sommes parfaitement conscients de nos faiblesses. Les nier serait encore laisser une oubliette sombre en nous, et ce n'est pas de tout repos. Quand nous assumons nos parts d'ombre, quand nous leur ouvrons la porte, c'est là que la lumière du jour peut pénétrer. Nous pouvons alors les effacer et les rendre claires, limpides, si nous trouvons aussi pourquoi elles se sont logées en nous.

La béatitude est déjà en vous, pas besoin de vouloir faire le bien à tout prix parce qu'il le faut ! Mais cherchez à être bien avec vous, en vous, et le tour sera joué. La colère, la tristesse ne passeront plus ; à la limite, vous vous direz qu'à une époque telle chose vous aurait fait enrager, et cela vous fera sourire. Là encore, vous aurez transformé le laid en beau, et l'abîme en soleil.

Est libre la chose qui existe par la seule nécessité de sa nature et se détermine par elle-même à agir.

« La liberté est la faculté d'agir selon sa volonté en fonction des moyens dont on dispose sans être entravé par le pouvoir d'autrui. Elle est la capacité de se déterminer soi-même à des choix contingents[2]. »

Voici la définition de l'encyclopédie libre sur Internet. Vous sentez-vous libre ? J'imagine que non. Personne ne se sent totalement libre, parce que, dans la société, « la liberté, c'est l'esclavage », écrivait George Orwell dans *1984*. Pourquoi ? Parce que la liberté nous est accordée par petites gorgées. La nuit, nous sommes libres de dormir, le jour de travailler pour gagner notre vie. Avez-vous envie de vous réveiller un matin, et de vous demander : « Suis-je vraiment libre ? »

Eh bien, même si vous pensez ne pas l'être au vu de votre existence, vous l'êtes déjà. Réjouissez-vous ! Mais à une condition, c'est que vous connaissiez la nécessité de votre nature. Si vous êtes libre dans votre tête, les atteintes du quotidien ne vous feront aucun mal. Comment pensez-vous que les otages dans des pays étrangers font pour rester en vie ? Ils se voient libres d'abord, et comprennent en réfléchissant à leur situation qu'ils le sont déjà.

« Je crois en la bonté de l'être humain, car au bout du compte nous avons toujours le recours de puiser dans le meilleur de nous-mêmes. »

Ingrid Betancourt

2. Source : Wikipedia.

L'homme libre qui vit parmi les ignorants s'applique autant qu'il le peut à éviter leurs bienfaits.

Nous l'avons déjà compris à travers la pensée de Spinoza, ce qui fait du bien à quelqu'un est différent selon les personnes. Chacun étant libre d'aimer ou de désirer ce qu'il lui plaît. Par conséquent, il est inutile de vouloir la même chose que quelqu'un d'autre, à moins qu'elle nous captive réellement aussi. Mais, comme nous avons élevé notre pensée, au fil de notre vie, et au fil de ces pages, nous devons éviter dans une certaine mesure les bienfaits des ignorants, car ils ne peuvent pas ou plus marcher sur nous. Disons que le savant, celui qui sait, ne peut plus retourner en arrière dans la pensée. Mais l'ignorant, lui, ne pourra qu'aller de l'avant. Ici, il n'est pas question de dire que l'homme qui sait vaut mieux que celui qui ne sait pas. Disons plutôt que chacun d'eux n'a pas besoin des mêmes choses, et de la même nourriture, qu'elle soit intellectuelle ou culturelle au sens large. Être libre, c'est savoir à quelle source nous pouvons nous abreuver. Le savant fait ce qu'il veut, l'ignorant ce qu'il peut. Le côté positif dans tout ça, c'est que l'ignorant est un savant qui s'ignore ! Il suffirait d'un rien pour qu'il puisse goûter à lui-même et se comprendre. Sans doute, c'est à vous, le savant, de le guider ; alors, il ne tient qu'à vous de passer ce relais.

Il vaut mieux enseigner les vertus que condamner les vices.

Reconnaître chez les autres leurs défauts, leurs vices est la chose que nous faisons le plus souvent. Le jugement va bon train, quand nous sommes face à un autre ou dans une situation donnée. Pourquoi avons-nous ce mécanisme en nous ? C'est un moyen de défense contre nous-mêmes. Et si nous prenions le chemin à l'envers, au lieu de nous plaindre ? Agir pour que ce qui nous dérange chez l'autre nous permette d'en savoir plus sur lui et à travers lui. Condamner ne sert à rien, si ce n'est à vous faire aller dans le mauvais sens de la pensée. Et puis, pardon de vous le dire, mais qui êtes-vous pour juger ? Soyez conscient que vous pouvez apporter votre savoir à cette personne, et par là même partager avec elle au lieu de la repousser. Justement, rappelez-vous, lorsque vous avez évolué, c'est quand quelqu'un ou un événement vous a poussé à aller plus loin. Devenez pour elle ce déclencheur, et enseignez-lui ce que vous avez appris. Personne ne veut refuser d'apprendre, de connaître et de partager un point de vue. Transmettez, insufflez, et donnez, car, donner, c'est apprendre à se connaître. Et n'oubliez pas qu'il faut quatre mains pour sauver une âme…

81

La sagesse n'est pas la méditation de la mort, mais la méditation de la vie.

Et fort heureusement, sinon nous serions toujours en train de penser à la fin. D'ailleurs, le fait de toujours vouloir paraître jeune prouve bien que la société actuelle nous pousse dans une méditation de la mort. Vouloir à cinquante ans en paraître trente est illusoire et n'est que le fruit de notre peur de mourir. En suivant ce schéma, on s'éloigne de ce que nous sommes et nous ne vivons que pour jouer un jeu. Sachez qu'il n'y a ni jeunesse ni vieillesse ; il y a ce que vous êtes, vous, maintenant et aujourd'hui. Réfléchissez au sens de la vie au lieu de vous projeter vers sa fin. Car en dehors de vous submerger de peurs et d'angoisses, cela ne vous apporte rien. Et vivre dans la peur n'est pas le bon choix, car le temps passe et nous avons gâché les moments où le bonheur était à notre porte et où nous avons refusé de le laisser entrer. La méditation de la mort ne vous avance à rien, et les choses qui ne nous font pas avancer, nous devons les refuser, ne pas les laisser entrer. Oui, vous mourrez, comme tout un chacun, mais surtout, surtout vous êtes en vie ! Alors, profitez-en, modelez-la à votre image et soyez heureux de la voir naître chaque jour, à la fois différente et pareille.

Seule, assurément, une farouche et triste superstition interdit de prendre du plaisir.

Entendons par superstitions des comportements irrationnels et aberrants qui ont pour source l'ignorance. Les fausses croyances, celles que nous suivons par mimétisme, par filiation culturelle ou par méconnaissance nous écartent de nous-mêmes. D'abord, croire est l'espoir de quelque chose, c'est donc forcément une forme de doute, c'est une hypothèse. Être sûr de quelque chose en revanche, c'est un fait. Par exemple : vous ne croyez pas que vous existez, vous existez, un point c'est tout ! Ensuite, penser qu'un acte peut vous porter malheur ou bonheur vous empêche, à coup sûr, de prendre du plaisir. Car vous allez faire certaines choses pour en éviter d'autres et votre façon d'être sera fausse puisque dirigée par vos peurs. Ne soyez pas votre propre Big Brother, mais simplement vous-même. À quoi bon ne pas passer sous une échelle, ou penser qu'un être suprême regarde tous vos faits et gestes en vous jugeant ! Vous n'avez pas la place pour ça, vous devez déjà trouver votre chemin, alors enlevez ces obstacles. Si vraiment vous ne pouvez pas vivre sans, créez vos propres croyances et sachez rire de l'absurdité de la chose. Cet exercice permet de dédramatiser et plus vous en inventerez, plus elles vous feront sourire ! Alors, au travail !

83

Les hommes se trompent en ce qu'ils pensent être libres et cette opinion consiste en cela seul qu'ils sont conscients de leurs actions, et ignorants des causes par lesquelles ils sont déterminés.

Pourquoi nous trompons-nous ? Parce que penser être libre ce n'est pas l'être. Nous sommes à la fois issus de la nature, donc déterminés par elle, et à la fois nous sommes un être pensant et agissant. Après ce constat, difficile de savoir qui nous sommes vraiment. Comment faire, alors ? Pour se trouver soi, il faut prendre conscience de toutes nos sources : de l'endroit d'où nous venons, et de nous-même en tant qu'être. Nous pouvons nous comprendre uniquement en sachant qui nous sommes. Si vous voulez un exemple, prenez le cas du peintre Picasso. Quand on voit ses peintures cubistes, ses Minotaures, on se demande où est le dessin. Le dessin était bien avant ces tableaux-là, c'est parce que Picasso sait parfaitement représenter le réel qu'il peut atteindre l'abstraction. Si on sait d'où l'on vient, on pourra alors changer sa direction et prendre la sienne. Si nous connaissons notre provenance, notre commencement, nous pouvons agir en fonction d'elle, s'en détacher, et trouver ce nous voulons vraiment. À chaque action, à chaque désir, demandez-vous de quelles sources provient votre envie. Est-elle instinctive ou raisonnée ? Ou encore les deux ? Ce désir naît-il de vous ou d'une réminiscence ? À vous de voir.

84

Il est donc utile au suprême degré, dans la vie, de perfectionner, autant que possible, l'entendement, la raison, et c'est en cela seul que consiste le souverain bonheur, la béatitude.

Nous avons déjà vu que, pour accéder à la béatitude absolue, il suffit de penser, de raisonner et, quelque part, de se battre pour être soi. Il est difficile d'enlever tous les poids qui pèsent sur nous : celui du passé qui s'ajoute au présent. Et puis ce futur que nous ne connaissons pas, et qui nous met dans le doute quand nous pensons à lui. Arrachez de vous ces craintes, et déposez-les dans un endroit.

Prenez une boîte et mettez-y vos doutes : anciennes photos qui vous font du tort, lettres écrites sans avoir jamais été données, pourquoi pas des magazines que vous sentez nocifs, tout ce qui vous éloigne de vous-même, enfermez-les. Maintenant, vous pouvez la jeter de la manière qui vous convient. Dans la mer, dans une poubelle, du haut d'une falaise ; enterrée dans une forêt, dans le sable d'une plage ; brûlée dans une cheminée, dans un jardin... Payez-vous un saut en parachute si ça vous fait du bien ! Faites comme vous le ressentez. Vous vous sentirez encore plus libre et vous aurez mis en action votre pensée. Il faut savoir rompre avec soi-même pour retrouver l'amour pur qui est en vous.

« Il faut sans cesse se jeter du haut d'une falaise
et se doter d'ailes durant la chute. »

Ray Bradbury

85

La fin suprême de l'homme que la raison conduit, son désir suprême, [...] c'est donc le désir qui le porte à connaître d'une manière adéquate et soi-même et toutes les choses qui tombent sous son intelligence.

Le secret de Spinoza, c'est de ne faire qu'un avec soi-même. Vous le savez déjà. Mais il faut bien l'admettre, nous sommes multiples, ou en tout cas nous ne nous sentons pas seuls dans notre corps, parce que nous avons plusieurs rôles. Au travail, nous sommes un employé. Chez nous, nous sommes parent, membre d'un couple. En famille, nous sommes le frère de nos frères, l'enfant de nos parents, et l'arrière-petit-fils ou fille de nos ancêtres. Toutes ces casquettes brouillent les pistes de notre être. Mais si nous raisonnons, tous nos actes, même celui de notre naissance, de nos choix, tout deviendra limpide et tout ce qui tombera sous notre intelligence sera analysé par une seule et même personne que nous sommes. Mais il faut s'attendre à parfois tomber de haut, car en enlevant les schémas vous serez peut-être un autre et des structures que vous pensiez solides peuvent s'effondrer autour de vous. Car vous n'êtes sans doute pas celui que vous croyiez. En se penchant sur vous avec votre bienveillance et votre bien-être en tête, tout peut être chamboulé ! N'ayez crainte, vous ne pouvez que gagner à vous ressembler, vous rassembler, et ce désir remplacera tous les autres car c'est le seul vrai cadeau que vous pouvez vous faire.

86

Tant quc notre âme n'est pas livrée au conflit des passions contraires à notre nature, nous avons la puissance d'ordonner et d'enchaîner les affections de notre corps, suivant l'ordre de l'entendement.

Le conflit des passions bat son plein dès l'enfance et contraint notre propre nature à faire ce que l'on nous dit. Bien sûr, nous avons notre caractère prédominant qui fait que, dans une certaine mesure, nous restons nous-mêmes. Aussi, nous avons jeté aux orties le passé, le futur, et nous savons que seul le présent compte. Délimitons, maintenant, l'espace de nos affections. Penchez-vous sur les affections qui passent sur vous, du plus petit détail à la totalité. Vos affections sont des changements qui se produisent en vous, et supposent la diminution ou l'augmentation de votre puissance de comprendre les choses. Par exemple, un bruit dans la rue alors que vous marchez peut vous faire changer d'état, ou la vision d'une image peut vous toucher à tel point qu'elle semble entrer en vous. Il est possible d'ordonner notre compréhension immédiate pour qu'elle n'agisse plus sur nous. Les causes extérieures seront toujours là pour vous rappeler à l'ordre. Il ne sert à rien de les ignorer, au contraire les prendre en compte avec la distance nécessaire pour qu'elles nous atteignent un minimum ou que nous choisissions si oui ou non nous souhaitons être altérés par elles. Cherchez en vous la distance qui vous est nécessaire et jouez avec elle.

L'âme en effet ne sent pas moins les choses qu'elle conçoit par l'entendement que celles qu'elle a dans la mémoire.

Il est clair que nous avons à la fois en nous nos souvenirs et notre compréhension des choses. La mémoire et l'entendement.

On pense souvent que si on réfléchit trop, on ne fait plus rien, qu'agir est en opposition avec penser. C'est tout le contraire. Réfléchir provoque une « cavalcade » en soi, donc un mouvement qui va déterminer l'action. C'est par l'âme que nous pouvons ressentir ce qui nous entoure et agir à partir d'elle.

La mémoire, elle, est le témoin de nos souvenirs, elle rassemble nos expériences, elle est elle aussi une puissance d'agir car elle se connecte avec ce qui nous arrive. C'est en se servant des deux que nous pouvons trouver un équilibre de la pensée. Tout a sa place, si on ouvre les bons tiroirs sans que l'un nous pousse dans le passé et l'autre ne nous fasse agir trop vite.

Dans « entendement », il y a entendre. Tendez votre oreille vers ce qui se passe vraiment, et sachez y répondre avec votre âme. À la fois, la mémoire se mettra en relation avec votre vécu et votre conception se saisira de votre aptitude à comprendre les choses.

Amusez-vous dans toutes situations à passer de l'une à l'autre et vous saurez juger ce qui est juste.

88

Le véritable amour du prochain fait que nous n'avons jamais pour lui ni haine ni colère, et que nous désirons au contraire le secourir et améliorer sa condition.

Comment produire en nous le véritable amour du prochain dont parle Spinoza ? Je sais que vous l'avez déjà compris, mais il est bon de le voir écrit : en vous aimant vous. Tout commence par vous. Qu'est-ce que le prochain ? Littéralement, c'est ce qui est « le plus proche de vous », c'est aussi ce qui va se produire. Qui d'autre que vous-même peut le créer ? Personne. Le prochain n'est pas une destinée, quelque chose d'écrit, de figé. Vous êtes plutôt en train de l'écrire maintenant, pendant même que vous lisez. Ce n'est pas qu'il n'existe pas, mais il n'existe pas encore. Il est votre extension, et ce que vous faites de vous-même, vous le faites pour le monde. Impossible alors d'éprouver des craintes, de la haine, ou de l'appréhension, car vous êtes l'artiste qui crée cette œuvre et vous-même vous êtes défini par elle. Dans ces cas-là, il est certain que nous voulons, vous voulez, le secourir, aller vers lui pour le rendre meilleur, atteignable par le plus grand nombre.

L'amour produit l'amour, c'est une règle universelle. Des gens comme l'abbé Pierre, mère Térésa, le dalaï-lama l'ont compris. Vous êtes comme eux, et capable de bien plus encore. Sentez-vous capable de tout car tout est possible, et que vous êtes porteur du meilleur, alors partagez-le.

89

Le bien suprême du Mental est la connaissance de Dieu ; et la vertu suprême du Mental est de connaître Dieu.

L'Ouroboros est le dessin d'un serpent qui se mord la queue. Il est en forme de cercle. Vous avez déjà sûrement dû le voir dans un livre ou un film. Il représente en quelque sorte le cycle éternel de la nature. Il pourrait même incarner cette phrase de Spinoza. La connaissance de soi amène à la connaissance de la nature (donc Dieu), qui elle-même nous rapproche de sa substance. Faisons un petit jeu de rôle. Vous êtes un être humain, et vivez dans une grande ville. Un jour, vous découvrez que le mot « stress » est entré dans votre vie et que vous avez des symptômes venant de lui : bronchites chroniques, mal de ventre, sentiment de malaise, etc.

D'où vient-il, ce stress dont tout le monde parle ? De vous-même, car ce n'est pas un virus, mais une ambiance qui vous a rongé et a gagné votre mental. Vous cherchez en vous ce qui vous rend malheureux, et vous comprenez alors que vous n'êtes qu'un pion parmi tant d'autres et que tout porte à croire que réfléchir sur soi, c'est aussi réfléchir sur le monde. Le monde qui est en forme de cercle et vous-même, qui êtes issu d'un cercle. Alors, vous retrouvez votre nature perdue depuis quasiment toujours, vous n'avez plus de bronchites, mais des envies de créer, d'écrire, pas pour laisser une trace mais pour simplement être. Bienvenue en vous. Je ne vous fais pas faire le tour du propriétaire, vous le connaissez par cœur.

90

Si un homme n'est jamais conduit, ni par la raison ni par la pitié, à venir au secours d'autrui, il mérite assurément le nom d'inhumain, puisqu'il ne garde plus avec l'homme aucune ressemblance.

Nous sommes faits pour être heureux et pour être en harmonie avec nous-mêmes. Sans ça, aucun moyen de pouvoir aider les autres puisque nous-mêmes sommes dans l'obscurité. Tout se mélange dans nos vies, et le statut social est devenu plus important que le reste. Le reste étant : se sentir bien en soi, connaître sa vraie nature et ne faire qu'un avec la nature. Je ne sais pas, et personne ne sait pourquoi la société est basée sur l'ego. Ce que je sais, et ce que vous savez maintenant, c'est que s'il n'y a pas d'épanouissement personnel avant tout le reste, nous finirons par passer à côté de la joie d'être nous-mêmes. Et par là même, toutes nos actions seront dirigées dans une mauvaise direction.

Enlevons le paraître de nos vies et apercevons-nous que les autres êtres sont comme nous, perdus dans cette masse. Mais nous ne le sommes plus vraiment depuis que nous avons décidé de nous trouver. La preuve, c'est que vous avez cet ouvrage entre les mains et que la pensée de Spinoza fait sans doute écho en vous. Personne n'est inhumain à la base, on le devient par bêtise et ignorance. Nous n'en sommes plus là, alors soyons heureux de donner ce que nous savons, car nous sommes humains, mais pas seulement, nous sommes aussi, en nous, l'humanité tout entière.

91

L'homme est affecté du même sentiment de joie et de tristesse par l'image d'une chose passée ou future que par l'image d'une chose présente.

Les choses qui nous touchent profondément nous touchent en tout temps : passé, présent et futur. Car nous avons tous une sensibilité particulière face à une même image. Roland Barthes appelait ce phénomène le *punctum* (« piqûre » en latin) : « C'est lui qui part de la scène, comme une flèche, et vient me percer. » Nous en sommes tous là, bouleversés par une image, ou par tout ce que nous voyons autour de nous. C'est quand même la preuve ultime que nous sommes en train d'exister lorsque quelque chose nous saisit. Alors, acceptons ce sentiment-là, bon ou mauvais, qui nous force à penser et à nous comprendre. Allons même chercher nos propres images mentales qui font couler en nous le pouvoir de l'existence. Sentiment qui exclut la lobotomie des images venant de la publicité, du cinéma, et des médias. Vous êtes touché, alors tant mieux ! Soyez en accord avec ce qui vous blesse ou vous rend heureux, car c'est cela que vous êtes : un être pensant qui éprouve des affects. Et alors ? Quoi de mieux que de pouvoir vérifier que nous sommes humains et donc sensibles et réceptifs ? Vous êtes comme le mot « image », vous pouvez changer selon ce que vous voyez, la preuve, en son anagramme : « image » devient « magie ».

92

La paix intérieure peut provenir de la raison, et cette paix née de la raison est la plus haute où il nous soit donné d'atteindre.

On peut ressentir la paix intérieure partout, il n'y a pas d'endroit prédéfini d'autant que, comme elle part de nous-mêmes, elle peut se produire n'importe où. On pense aussi que la paix, ou la joie, intervient à un moment particulier de l'existence. « Je suis à la plage, seul, je me sens bien, ému, en paix » et puis tout s'arrête quand on revient à la réalité. La paix s'en va et, en rentrant chez soi, la guerre reprend : le téléphone sonne, il faut faire ça tout de suite, combien de temps me reste-t-il pour faire ceci… Cette paix, vous l'avez créée de toutes pièces, le paysage vous a permis de l'isoler en vous et de la faire jaillir. Pourquoi l'avoir abandonnée sur la plage ? Pourquoi l'avoir enfermée dans une image et ne pas l'avoir laissé couler pour qu'elle reste en vous ? Prenez conscience que vous pouvez la garder sans qu'elle s'échappe, car elle n'est pas reliée à un endroit, si ce n'est dans votre for intérieur. C'est quand vous aurez compris comment elle vient à vous que vous aurez le moyen de la faire continuer en toute situation. Tout part de nous.

93

Chacun désire ou repousse nécessairement, d'après les lois de sa nature, ce qu'il juge bon ou mauvais.

Nous savons tous ce qui est bon ou mauvais pour nous. Mais on ne se fait pas assez confiance pour suivre notre nature... Pourquoi faisons-nous cela ? Parce que le monde qui nous entoure contrarie nos goûts en les manipulant. Si vous aimez les femmes rondes et d'âge mûr, vous avez un sacré problème, car les bimbos sont forcément plus jolies ! Si vous ne souhaitez pas fonder une famille et avoir un chien qui s'appelle Toby, vous êtes un marginal ! Cette peur du jugement fait reculer la personne que nous sommes et, parfois, nous nous oublions pour rentrer dans la norme. Faire plutôt ce qu'on attend de nous, au lieu de faire ce que l'on veut. Mais un jour, nous nous réveillons : « Chassez le naturel, il revient au galop », comme dit le dicton. Assez de cette vie-là, celle qui ne nous ressemble pas, qui ressemble à la photo d'un magazine ! Se tromper soi-même, c'est tromper les autres et, paradoxalement, tout le monde vous en voudra de tout quitter. Vous passerez pour un lâche, alors que vous vous cherchez. Eux sont toujours dans la case où ils ont envie de rester, et c'est tant mieux. Mais vous avez dit : « Stop, je veux me retrouver ! » Je vous dis « bravo » et Spinoza aussi ! Les lois de votre nature sont impénétrables ! Vous partez pour un long voyage immobile en vous-même, et c'est tout à votre (b)honneur !

« Soyez le changement que vous voulez voir dans le monde. »
Gandhi

94

Ainsi, l'homme en tant qu'il est une partie de la nature doit suivre les lois de la nature et c'est là le culte de Dieu ; et aussi longtemps qu'il fera cela, il est heureux.

Nous voulons sans cesse plus que ce que nous pouvons, et pouvons plus que nous devons. Nous sommes des équilibristes qui essayons de vivre dans un monde qui nous défend de descendre au sol, pour ne pas avoir une position confortable, et, qui sait, pouvoir du coup quitter le cirque. Spinoza nous dit ceci : nous sommes une partie de la nature et nous devons en suivre les lois, car c'est notre vérité intérieure. Vient alors cette question: quel est le sens de la vie ? Ensuite, la même question s'applique à vous : quel est le sens de VOTRE vie ? Ce va-et-vient entre la nature qui est la source infinie de la vie et nous, porteurs de cette vie, nous devons le faire pour comprendre. Après cela, tout ce que vous ferez, de vos plus petits gestes à vos grandes décisions, découlera de ces deux pôles. La nature et vous. Et quand vous comprendrez, par la force des choses, que vous ne faites qu'un, qu'elle vous porte autant que vous la portez, vous pourrez être heureux. Heureux partout, dans chaque parcelle de votre être et vous pourrez même le transmettre à tout ce que vous touchez. C'est dur à comprendre, malgré tout, on a l'impression d'être seul en soi et de ne pouvoir rien contrôler. Tout cela est faux. Vous êtes un être pensant, donc agissant. Vous êtes un humain et donc porteur de l'humanité entière.

95

Nous ne tendons par la raison à rien autre chose qu'à comprendre, et l'âme, en tant qu'elle se sert de la raison, ne juge utile pour elle que ce qui la conduit à comprendre.

La clef de toute chose est de comprendre. Sans compréhension, la vie n'a pas de sens ou trop peu. Chercher à se connaître, c'est là la pensée essentielle de toute existence. Aller au fond de « vos » choses. Sentez-vous comme un explorateur, vous avez tellement de choses à voir, à ramener à la surface ou à laisser à leur place. Vous existez pour une raison « valable », il ne tient qu'à vous de la trouver. La vie a déjà un sens puisqu'elle est La nature, mais la vôtre s'accorde avec elle pour n'en faire qu'une : le vôtre. Dans *Macbeth*, Shakespeare écrivait : « La vie n'est qu'un fantôme errant, un pauvre comédien qui se pavane et s'agite durant son heure sur la scène et qu'ensuite on n'entend plus ; c'est une histoire dite par un idiot, pleine de fureur et de bruit, et qui ne signifie rien… »

Faites mentir un des plus grands dramaturges de l'Histoire ! Non, non, et non, la vie a un sens, et vous allez comprendre le sens de la vôtre, juste pour que vous soyez heureux, et puis, de toute façon, vous préférez de loin la pensée d'Albert Camus : « Le monde est beau, et hors de lui point de salut [...].Ce chant d'amour sans espoir qui naît de la contemplation peut aussi figurer la plus efficace des règles d'action. »

Je dis que la joie est un passage à la perfection.

Le mot « perfection » vient du latin *per-ficio* ; *ficio*, dérivé du verbe *facere* « faire » et *per* « jusqu'au bout ». Donc, littéralement, ce qui est fait jusqu'au bout, totalement. Dans la société occidentale, on reste quand même ancré dans des principes judéo-chrétiens où nous ne serons jamais parfaits, car nous sommes seulement « humains ». De plus, les dix commandements portent bien leur nom et nous montrent ce que nous devons faire et ne pas faire, mais pas ce que nous devons être. Nous allons aller du côté du bouddhisme, où la perfection, ou Paramita, est atteignable selon dix perfections. Petit parcours du combattant que vous pouvez vous-même suivre pour atteindre le nirvana.

1. *Dana pāramī* : générosité, don ;
2. *Sila pāramī* : vertu, moralité ;
3. *Nekkhamma pāramī* : renonciation ;
4. *Panna pāramī* : sagesse transcendante ;
5. *Viriya pāramī* : énergie, effort ;
6. *Khnati pāramī* : patience, tolérance ;
7. *Sacca pāramī* : honnêteté, sincérité ;
8. *Adhitthana pāramī* : détermination, résolution ;
9. *Metta pāramī* : amour bienveillant ;
10. *Upekkha pāramī* : sérénité, équanimité.

Vous voyez bien que la joie passe par des valeurs puis se transforme en état de grâce. Regardez de temps en temps cette échelle vers votre paradis (comme la chanson de Led Zepplin), et constatez les efforts parcourus.

Nous sentons et éprouvons que nous sommes éternels.

On peut dire que, maintenant, presque au bout de ce livre, non seulement vous êtes un vrai spinoziste mais qu'en plus vous comprenez cette phrase qui, au début, vous aurait apparu étrange ou quasi mystique. Rien de tout ça, puisque ce qu'elle veut dire, c'est que vous êtes éternel par essence. On sait que le corps physique s'arrête, mais que la vie ne s'arrête jamais derrière nous, elle continue d'être et de se perpétuer. Alors, réjouissons-nous pour elle car nous formons un tout. La finalité de votre vie n'est peut-être pas ce que vous laisserez derrière vous, mais ce que vous avez fait de vous-même. Et cette fin n'est que le début, c'est comme ça que vous pouvez comprendre que vous êtes éternel.

Essayez de bien saisir cette nouvelle condition qui vous donne accès au bonheur. D'ailleurs, si vous avez déjà veillé quelqu'un de malade et qui va mourir, vous le savez. Pour la personne mourante, rien n'est plus grave, car elle a compris cela. Elle a eu le temps de s'y faire et de se comprendre. Et même quand notre fin est une surprise, l'éternité de la vie nous force à penser qu'elle nous survivra. Donc, tout va bien, nous pouvons vivre au présent.

98

La connaissance de l'union mentale avec toute la nature. C'est donc la fin à laquelle je tends, à savoir acquérir une telle nature et faire effort pour que beaucoup l'acquièrent avec moi.

Comment ne pas trouver cette phrase comme étant d'un amour sans limite. Et nous avons la chance, vous et moi, d'avoir compris, grâce à Spinoza, la nature que nous avons en nous, et par là même, la nôtre, celle de notre être. Tellement de changements vont s'opérer maintenant en vous pour que vous soyez libre, pour que vous vous connaissiez. Imaginez que ces mots sont venus jusqu'à vous, quatre siècles plus tard, et trouvent un nouvel écho, une pensée qu'il a voulu que vous sachiez. C'est un beau cadeau que vous vous devez de perpétuer ; maintenant, vous avez ouvert les yeux sur la connaissance grâce à lui, il ne tient qu'à vous de la partager à votre tour. Vous êtes comme lui, quand il a compris le sens de la vie et a voulu le rendre le plus compréhensible possible pour que nous vivions mieux et soyons heureux. Alors, allez-y, soyez vous-même et distribuez votre joie autour de vous. C'est un bel exercice et une merveilleuse chance que vous avez là.

« Transmettre la vie, c'est admettre l'immortalité. »
Henry Bordeaux

99

Il arrive souvent, quand nous jouissons d'un objet désiré, que le corps acquiert par cette jouissance une disposition nouvelle qui lui imprime de nouvelles déterminations, de telle sorte qu'il se forme en lui d'autres images des choses, et que par suite l'âme commence à imaginer d'une manière différente et à former d'autres désirs.

Quand nous prenons du plaisir, nous nous sentons heureux. D'autant plus quand la jouissance provient de quelque chose qui nous habite de tout notre être. Cette satisfaction-là, entière et englobante, nous change entièrement : elle embarque tout sur son passage. Le corps prend une forme inédite, inattendue et se sent aspirer dans une hiérarchie nouvelle. Les idées fusent et les choses changent. C'est par le corps, donc l'émoi qui a atteint l'âme, que naissent de nouveaux désirs. Par exemple, goûter un fruit exotique qui ravit les papilles peut donner envie de voyager ou un massage relaxant peut requinquer et donner envie de se lancer dans une nouvelle activité : le bien-être, la jouissance du corps ouvrent de nouveaux horizons à notre esprit...

Faites-vous du bien, cela créera de nouvelles expériences et votre âme s'ouvrira à la joie et à tous les possibles... Et qui dit désirs nouveaux dit pouvoir rêver et avoir de nouveaux projets... En somme, que de bonnes perspectives !

CONCLUSION

Le mot « philosophie » est double. Il veut à la fois dire « aimer la sagesse » et « aimer le savoir ». Et c'est exactement ce que Spinoza a voulu embrasser dans son œuvre. Qui ne peut pas aimer la pensée de Spinoza, y adhérer ? C'est impossible. Vouloir être libre, comprendre le désir de sa nature, atteindre le bonheur, qui ne voudrait pas de tout ça ?

Souvenez-vous bien de sa pensée, et, pour ce faire, voici un petit guide pratique pour terminer notre voyage.

1. Rendez-vous compte de la vie qui est en vous. Sachez qu'elle est le bien le plus précieux que vous avez et qu'elle – son essence – est reliée à la substance du monde.

2. Apprenez à vivre dans le présent en éliminant les peurs du passé qui vous empêchent d'agir. Ne vous projetez pas trop non plus dans le futur, car il n'existe pas encore. Vous êtes ici et maintenant.

3. Écoutez-vous, vous êtes votre propre chef, et vous êtes comme la nature qui vous anime, un créateur en puissance.

4. Pensez toujours à comprendre dans sa totalité ce qui vous anime et vous guide.

5. Faites vos actions en étant conscient de ce que vous entreprenez. La raison et l'entendement sont les maîtres mots de votre force d'agir.

6. Existez au lieu de « vivre ». C'est-à-dire, trouvez votre propre chemin, loin des stéréotypes et des images toutes faites.

7. Pensez-vous comme un être libre en tout point. Libre de penser, libre de mouvement, de choix, d'idéaux et de conviction.

8. Cherchez le bonheur où il est, mais ne cherchez pas trop loin, il est en vous.

9. Distribuez la joie et la béatitude que vous avez trouvées autour de vous. Il ne tient qu'à vous de les donner.

L'essence même de ce petit livre a été, est, de transmettre un savoir pour que vous puissiez l'utiliser dans votre vie quotidienne. Laissez-le passer de main en main, pour que tous vos proches en profitent et ouvrent leurs yeux sur la pensée spinoziste. À vous de jouer, maintenant.

Table

INTRODUCTION 3

99 PILULES PHILOSOPHIQUES 5

CONCLUSION 107